FUNDAME[N...]

para una vida cristiana victoriosa

Estudios bíblicos

Están edificados sobre el fundamento de los apóstoles y profetas, siendo Cristo Jesús mismo la piedra angular (Efesios 2:20)

Carl Krames

A menos que se indique lo contrario, todas las referencias a las Escrituras, así como las palabras claves en hebreo y girego, a menos que se indique lo contrario, son de Spiros Zodhiates (1990). The Hebrew Greek Key Word Study Bible: New American Standard. Chattanooga, Tenn.: Amg Publishers. Para la versión en español se utilizó la Nueva Biblia de las Américas™ NBLA™ Copyright © 2005 por The Lockman Foundation

El capítulo sobre la guerra espiritual recopila información de Tim Taylor (2003) Biblical Principles and Strategies: the Art of Corporate Spiritual Warfare. Renton, Wash.: Watchman Ministries International.

Diseño de carátula: Robert Krames

Versión en español y maquetación: The Bridges Project

Para más información, por favor, visitar:

Prepare4Transformation.com

AGRADECIMIENTOS

Queridos lectores:

Quisiera empezar agradeciendo a Bob y Rose Weiner por el desarrollo de su visión en el establecimiento de iglesias neotestamentarias a lo largo de la década de los 70's en campus universitarios de todo el mundo. Su mensaje de «Jesús es el Señor, no solo el Salvador» me desafió a mí y a otros tantos miles a comprometernos irrestrictamente a seguir a Jesús. Sus principios enseñados respecto al discipulado nos inspiraron a permanecer fieles a Dios y a los demás. Aunque en ese entonces yo era un pésimo lector y llevaba un estilo de vida un tanto indisciplinado, su testimonio de vida cristiana enmarcados en (Los ministerios del Campus Maranatha) me ayudaron invaluablemente a crecer en mi fe en el Señor. Por cierto, ellos también escribieron una serie de manuales prácticos que me ayudaron a desarrollar un fundamento bíblico sólido, los cuales, a la postre, me inspiraron a escribir el presente manual.

Deseo agradecer especialmente a todos aquellos mentores que me han aconsejado a lo largo de los años, como son Bil DeConna, pastor principal de Victory Church en Gainesville, Florida; a Tim Taylor, comandante retirado de la Armada de los Estados Unidos y fundador líder apostólico del Kingdom League International, y a mi querido amigo por casi cuatro décadas, el pastor Bob DuVall.

Por último, pero ciertamente no menos importante, agradezco a mi gran familia constituida por mis hijos Robert, su esposa Jessica y mis queridos nietos Luke y Lilly, Wesley y su adorable esposa Jamie, Michael y Kevin. Y como lo mejor siempre va al final, un agradecimiento superlativo al «gran amor de mi vida» por más de cuarenta años, a la mujer más hermosa (tanto por fuera como por dentro) de todo el planeta Tierra, a mi esposa Brenda; tanto tú como nuestros hijos han sido mi motor y mi inspiración en la vida.

¿Por qué escribí este manual?

Como mencioné en los agradecimientos, decidí seguir a Cristo a finales de los 70's (octubre de 1978) por medio del Movimiento de la Renovación Carismática, la cual enfatizaba la necesidad de regresar al modelo de la Iglesia Primitiva, tal y como está descrito en el libro de los Hechos. Durante esos primeros años aprendí a valorar la importancia de desarrollar una vida enfocada en el estudio de las Escrituras, la oración, el ayuno y el evangelismo; entendí que dichas disciplinas espirituales son esenciales para la «Obra del Ministerio» según Efesios 4:12 y que, por eso mismo, están dirigidas a nosotros los creyentes, indistintamente del contexto social o histórico.

El hecho de que se nos exhortara continuamente, no solo a orar por las naciones, sino también a ir a ellas, hizo que justo después de que Brenda y yo nos casáramos a comienzos de los 80's decidiéramos viajar por dos meses a la Ciudad de México para hacer parte del establecimiento de una nueva iglesia. El permanecer allí hizo que nos enamoráramos apasionadamente de las personas y las misiones, no solo de aquel lugar, sino de muchos otros pueblos no evangelizados del mundo.

Sin embargo, he notado que esa pasión por la oración y la evangelización que tanto caracterizó a los creyentes de la década de los 70's, ha venido sufriendo un declive constante desde comienzo de los 80's en Norte América, y se evidencia ahora, cada vez con mayor fuerza, en el mundo hispano.

De acuerdo a algunos amigos misioneros hay un declive en la evangelización, así como en las enseñanzas bíblicas básicas y en la producción de material centrados en la Palabra de Dios. La ausencia de pasión por la oración, la evangelización y las verdades centrales del evangelio ha derivado en una progresiva y peligrosa decadencia moral en el contexto cristiano de muchos países.

El ver la necesidad trepidante que existe al interior de la Iglesia de habla inglesa e hispana en los aspectos mencionados es lo que ha inspirado el nacimiento del presente manual práctico de estudios bíblicos, *Fundamentos para una vida cristiana victoriosa*.

Mi deseo es que en este material te sirva como herramienta útil para inspirar y equipar a los creyentes de sus congregaciones locales, ya sea por medio de grupos pequeños, grupos familiares, clases congregacionales o en el contexto que más le resulte pertinente.

Mi exhortación es que te atrevas a cumplir fielmente el amoroso mandato de la Gran Comisión entregado por Jesús durante su último discurso aquí en la Tierra de «ir y hacer discípulos por todas las naciones».

Dios te bendiga a través de los estudios del presente manual.

Carl Krames

Tabla de contenido

Agradecimientos..3

1. Oración de salvación...6

2. Salvación..7

3. Discipulado: El Señorío de Jesucristo...13

4. Bautismo en agua..19

5. Bautismo del Espíritu Santo...23

6. Palabra de Dios: La autoridad final..29

7. Oración...35

8. Alabanza y Adoración..41

9. La Gran Comisión..47

10. Grupos de evangelismo en casa...53

11. Dones del Espíritu Santo...59

12. Frutos del Espíritu Santo..65

13. El amor de Dios..71

14. Justicia y fe..77

15. La Iglesia: el Cuerpo de Cristo...83

16. Unidad de la fe...89

17. El dar y el recibir...95

18. Guerra espiritual..101

19. Sanidad interior...111

20. Pureza y santidad..119

21. Vencedores de los últimos días..125

Oración de salvación

Estimados estudiantes de la Biblia:

Si al completar el primer estudio bíblico sobre Salvación todavía no están cien por ciento seguros de que irán al cielo cuando mueran, pueden hallarse en alguna de las siguientes dos categorías: O todavía no han confesado a Jesucristo como su Señor y Salvador, o tal vez no estén siguiendo a Dios de manera constante y desean volver a sus viejas andanzas.

Si desean estar seguros de que irán al cielo y están dispuesto a permanecer en los caminos de Jesús y Dios de todo corazón, los invito a que hagan la siguiente oración:

Amado Padre que estás en los cielos:
Sé que soy un pecador que necesita tu ayuda. Creo sinceramente en mi corazón que enviaste a Jesucristo tu Hijo a morir por mis pecados en la cruz del Calvario. Creo que lo resucitaste de entre los muertos para redimirme de las consecuencias de mis pecados. Jesús, ahora mismo me arrepiento, te pido perdón y determino apartarme del pecado. Te invito a que entres a mi corazón y seas mi Señor y Salvador. Toma el control de cada área de mi vida y ayúdame a convertirme en la persona que quieres que sea. ¡Gracias por darme la convicción de que ya estoy perdonado y que, por lo tanto, puedo pasar el resto de vida que me queda aquí en la tierra y luego en la eternidad a tu lado!

Ahora como recordatorio de este día puedes firmar y fechar la oración más importante de tu vida.

Firma:_____ **Fecha:**_____

Te felicito por la decisión que acabas de tomar.

A continuación te recomiendo seguir los «siguientes pasos», los cuales te ayudarán a progresar en tu caminar cristiano:

Ore: Hable con Dios de una manera sencilla y personal. Para un mayor provecho, reúnase con otros cristianos para orar y completar el estudio de la lección sobre la «oración» de este manual práctico.

Lea su Biblia: Si no sabe por dónde empezar, mi sugerencia es que comience leyendo el evangelio de Juan, en el Nuevo Testamento, ya que él fue quien escribió el relato más íntimo y personal acerca de la vida del Maestro. Mientras lee, pídale a Dios que le revele Sus propósitos y planes para su vida.

Iglesia: Únase a otras personas que crean en la Biblia y que estén dispuestas a ayudarlo en su caminar con Dios. La Iglesia es mucho más que un edificio, y usted ahora hace parte de ella. Como irás descubriendo en cada estudio bíblico de este manual, todos somos importantes y nos necesitamos los unos a los otros.

¡Que Dios los bendiga y los guarde!

SALVACIÓN

La salvación es de todos los fundamentos el más importante. Sin embargo, existen muchas doctrinas engañosas en la actualidad que intentarán socavar tu confianza de este fundamento, el cual está basado en las Escrituras.

Como veremos en esta lección, la Biblia nos enseña que, al hacernos seguidores de Jesús, somos hechos nuevas criaturas. De modo que una comprensión genuina entre lo que es una nueva creación y lo que no, es lo que nos dará la pauta para comprender con precisión de qué se trata nuestra salvación. Esto es lo que se conoce en términos prácticos como nuestro testimonio.

A continuación, te haré algunas preguntas sobre ciertas escrituras a fin de saber qué es la salvación y que cosas no lo es.

1. **Génesis 3** (todo el capítulo)

   ¿Cuál fue el origen de la corrupción humana?

   Respuesta: Cuando Adán y Eva pecaron por primera vez al comer del árbol del_____ y del_____.

2. **Romanos 5:12**

   ¿Cuál fue la consecuencia del pecado de Adán y Eva?

   Respuesta: Así también la_____se extendió a todos los hombres, porque todos pecaron...

   Muchas veces cuando desprevenidamente le he preguntado a la gente si creían que irían al cielo o no cuando murieran, a menudo me respondieron que la principal razón por la que pensaban que irían al cielo es porque «eran buenas personas». Para justificar su respuesta, muchos incluso me dieron una lista de las cosas buenas que han hecho, y una que otra cosa mala que no habían hecho como, por ejemplo, asesinar a alguien.

3. **Romanos 3:23**

   ¿Crees que alguno de nosotros es lo suficientemente bueno como para merecer ir al cielo?

   Respuesta:_____.

4. **2 Corintios 5:17**

   La Biblia nos otorga un hermoso título cuando decidimos convertirnos en cristianos. ¿Cuál es ese título?

   Respuesta:_____ _____ /_____.

   Dado que ninguno de nosotros es digno de la salvación, veamos cómo Dios ha proporcionado una solución a nuestro dilema.

5. **Romanos 6:23**

   Con relación a nuestra «salvación eterna», ¿cómo llamó Dios a esta provisión y quién es la fuente de nuestra salvación?

   Respuesta: La_____en_____ _____.

   ¡Note que esta dádiva GRATUITA se encuentra EN Cristo Jesús!

6. **Romanos 5:8**

   ¿Qué tuvo que hacer Jesús para proporcionarnos gratuitamente esta dádiva?

   Respuesta: Cristo_____ _____ _____.

7. **1 Corintios 15:3-4**

   Secuencialmente, ¿cuáles fueron esas tres únicas cosas que Jesús debió sufrir para hacer posible nuestra redención?

   Respuesta: Cristo_____ por nuestros pecados...; que fue_____ y que_____ al tercer día...

   Antes de que Jesús se ofreciera a sí mismo en la cruz y resucitara, el Antiguo Testamento mostraba que los pecados del pueblo solo podían ser expiados una vez al año por medio del sacrificio de animales. Dicho sacrificio expiatorio anual culminaba cuando el Sumo Sacerdote de Israel sacrificaba un cordero sin mancha durante la celebración de la Fiesta de la Pascua. Este sacrificio sangriento era necesario para posponer todo juicio por los pecados del pueblo, y debía repetirse anualmente hasta que el Mesías viniera al mundo y se ofreciera una vez y para siempre como sacrificio expiatorio. ¡Su sacrificio en la cruz nos salvó de nuestros pecados por la eternidad!

8. **Juan 1:29**

   Respecto al cumplimiento de esta profecía mesiánica, ¿qué dijo Juan el Bautista cuando presentó a Jesús al pueblo?

   Respuesta: «¡He aquí el_____ _____ _____que quita el pecado del mundo!».

   En los cuatro relatos de los evangelios (Mateo, Marcos, Lucas, Juan) se nos muestra, pues, que Jesús (El Cordero de Dios) fue crucificado en la cruz del Calvario durante la Fiesta de la Pascua como el sacrificio perfecto e inmaculado. Este único sacrificio de Cristo y su posterior resurrección es lo único que necesitamos para obtener el regalo de la vida eterna en Jesús.
   Ahora veamos cómo la dádiva de este acto divino por la humanidad se relaciona con las buenas obras.

9. **Efesios 2:8-10**

   ¿Cuál es el medio por el que usted y yo somos salvos de la destrucción y eterna separación de Dios?

   Respuesta:_____ _____ _____.

   La gracia se define como «un favor inmerecido y gratuito». Dicha dádiva es otorgada sin expectativa alguna de devolución; en ese orden de ideas, es la expresión más pura de misericordia, y se contrapone a la palabra griega erga, que significa obras. (Spiros Zodhiates, 1990).

10. **Hebreos 11:1**

   ¿Cómo define la Biblia la fe?

   Respuesta: Ahora bien, la fe es la_____ de lo que se espera, la_____ de lo que no se ve.

   Según esta definición bíblica, vemos que la fe es sencillamente creer que algo es verdad (es decir, la Palabra de Dios).

Sabes que esto es así, con base en la convicción y seguridad que hay en tu corazón.

11. Efesios 2:9

¿De qué NO depende la salvación?

Respuesta: No por_____, para que nadie se gloríe.

12. Efesios 2:8

Dado que la salvación no se basa en obras, entonces, ¿cómo deberíamos considerar, tanto la muerte de Jesús en la cruz como su resurrección de entre los muertos?

Respuesta:_____.

13. Efesios 2:10

Al haber recibido la salvación y ser considerado «Su hechura», ¿cómo el hacer buenas obras se relacionan con nuestra comunión con Dios?

Respuesta: Porque somos hechura suya, creados en Cristo Jesús_____ hacer buenas obras, las cuales Dios preparó de antemano para que anduviéramos en ellas.

14. Colosenses 1:10

¿Qué debemos producir como prueba de nuestras buenas obras?

Respuesta: Debemos producir_____ en toda buena obra.

15. Juan 17:3

Según este pasaje, ¿en qué se diferencia el cristianismo de todas las demás religiones?

Respuesta: En que se basa en una_____personal con Dios en lugar de cumplir un conjunto de normas o doctrinas.

Como hemos visto en esta lección, nos convertimos en nuevas criaturas cuando decidimos tener una relación personas con Jesús.

16. Hechos 2:38

¿Con qué acción debemos responder para poder activar la gracia que Dios dispuso de antemano como condición para establecer una relación eterna con Él?

Respuesta:_____y ser bautizados en el nombre de Jesucristo.

Arrepentirse significa «cambiar de mentalidad». Más adelante analizaremos las implicaciones del arrepentimiento en el estudio sobre discipulado titulado El Señorío de Jesucristo.

17. Mateo 4:19

¿Con cuál otra palabra, similar a la palabra arrepentirse, Jesús conminó a sus discípulos para que se convirtieran en pescadores de hombres?

Respuesta:_____, y yo os haré pescadores de hombres.

18. Juan 1:12

Ya que las palabras arrepentirse y seguir tienen un significado similar, ¿qué otro verbo activo debes hacer para activar la gracia de Dios?

Respuesta: Pero a todos los que le_____, les dio el derecho[a] de llegar a ser hijos de Dios, es decir, a los que creen en su nombre...

19. Romanos 10:9-10

Para recibir la salvación por la fe, ¿qué debe hacer uno con su corazón y cuál es el resultado de esta acción de fe?

Respuesta: Porque con el corazón se_____ para_____.

20. Romanos 10:10

¿Qué hay que hacer con la boca, y cuál es el resultado de esta acción de fe?

Respuesta: Con la boca_____para _____.

Es de anotar, que ninguna de estas acciones de fe son las que nos proporcionan la salvación, pues Dios no obliga a ninguno de nosotros a convertirnos en cristianos. En cambio, Él permite que cada quien tome su propia decisión de usar su fe para recibir esta maravillosa gracia que Él proveyó única y exclusivamente por medio de Jesús.

Tomando en cuenta lo que usted ha aprendido en esta primera lección, describa en sus propias palabras el Fundamento de la salvación. Siéntase en libertad de hacer su propia indagación para este ejercicio, a fin de que Dios te haga entender la importancia de asumir este fundamento como el más importante de todos.

Algunas escrituras de concordancia sugeridas son: Juan 3:1-21; 1 Juan 5:11-13; 1 Juan 4:7-10 y Romanos 3:23.

REFLEXIONES:

_____

_____

_____

_____

Respuestas:

1. Conocimiento, bien, mal
2. Muerte
3. No
4. Nueva criatura/creación
5. Dádiva, Cristo Jesús
6. Murió por nosotros
7. Murió, sepultado, resucitado
8. Cordero de Dios
9. Gracia a través de la fe
10. Certeza, convicción
11. Obras
12. Regalo (Dádiva)
13. Deseamos
14. Frutos
15. Relación
16. Arrepiéntase
17. Seguir
18. Recibieron
19. Cree, justicia
20. Confiesa, salvación

DISCIPULADO: El Señorío de Jesucristo

En el primer capítulo sobre la salvación aprendimos cómo la gracia y la fe operan juntas, y cómo estas nos conectan con nuestro Padre celestial. Ahora en esta lección abordaremos el tema del «Señorío de Cristo» para saber si cada característica de la naturaleza de Jesús es necesaria o no en nuestro caminar con Dios.

1. **Hechos 2:36**

   ¿Qué título (s) se le otorga a Jesús en este pasaje y que está (n) en concordancia con otras escrituras del Nuevo Testamento?

   Respuesta: Dios le ha hecho_____ y _____.

   Previamente aprendimos que la gracia de Dios se nos fue otorgada en la cruz para que a través de ella pudiéramos acceder a la vida eterna. Pero, aunque las buenas obras no pueden salvarnos, ¿qué cosas requiere la Palabra de Dios de nuestra parte para que obtengamos esa gracia?

2. **Mateo 4:17**

   ¿Qué mandamiento predicó Jesús desde los inicios de Su ministerio?

   Respuesta:_____, porque el reino de Dios se ha acercado.

3. **Hechos 2:38**

   ¿Cuál fue el centro del mensaje de Pedro durante su primer mensaje en el nacimiento de la Iglesia?

   Respuesta:_____y _____, y recibiréis el_____ del Espíritu Santo.

   Arrepentirse es sencillamente cambiar de mentalidad. Sin embargo, Dios no nos obliga a arrepentirnos, ya que es un acto voluntario. En cambio, para llamarnos discípulos (personas disciplinadas) Él si requiere algo de nosotros para otorgarnos esa distinción.

4. **Mateo 16:24**

   Si alguien desea ser un discípulo de Jesús, debe hacer tres cosas:

   Respuesta:_____a sí mismo, tomar su_____y _____ a Él.

   Vemos, entonces, que hay que tomar una decisión: ¡comprometernos totalmente de corazón! Ese es realmente el trato más asombroso de todos los que pudiéramos tomar ya que, al ofrecer nuestras vidas para vivir para Dios, experimentamos la vida eterna aquí en la tierra y obtenemos la certeza de que luego iremos al cielo.

5. **Romanos 10:9-10**

   ¿Qué acción práctica es necesaria para mostrar que creemos que Dios resucitó a Jesús de entre los muertos?

   Respuesta:_____con la boca que Jesús es el_____.

Los romanos de la época de la Iglesia Primitiva consideraban que el Cesar era divino y por eso se referían a él con la palabra griega *kurios,* la cual se usa también en Romanos 9:10 para describir a Jesús.

6. Filipenses 2:9-11

En este pasaje Jesucristo también es declarado Señor (kurios) ¿Qué tipo de nombre se le da?

Respuesta: El nombre que es_____todo nombre.

7. Marcos 1:17; 2:14

Para que Simón Pedro, Santiago y Mateo fueran considerados Sus discípulos, ¿qué dijo Jesús que tenían que hacer?

Respuesta:_____.

8. Juan 3:16

¿Qué expresión en este versículo es una palabra de acción y cuya connotación es confiar, depender o aferrarse?

Respuesta:_____.

9. Santiago 2:19

Este versículo dice que, incluso, los demonios creen que Jesús es el único Dios verdadero. Sin embargo, ¿qué acción se rehúsan a hacer?

Respuesta: Los demonios no_____ a Jesús.

10. Lucas 14:28-30

Antes de tomar la decisión de hacernos discípulos, ¿qué debemos tomar?

Respuesta:_____ _____ _____.

11. Mateo 19:21

¿Cuáles fueron esas dos cosas difíciles que Jesús le pidió al joven rico que hiciera para que fuera Su discípulo?

Respuesta:_____tus posesiones y da a los pobres...; y ven,_____.

12. Deuteronomio 8:19-20

¿Qué dice la Escritura que les ocurriría a los hijos de Israel si servían y adoraban otros dioses?

Respuesta: Ciertamente_____.

13. Romanos 6:1-2

¿Crees que está bien continuar con nuestro viejo estilo de vida pecaminoso después de hacernos discípulos de Jesús y ser salvos por Su gracia?

Respuesta:_____.

14. 1 Juan 3:8

¿Cuál es la palabra clave aquí que indica que una persona es del diablo?

Respuesta: El que_____el pecado.

15. 1 Juan 3:9

¿Quiénes son los que no practican el pecado?

Respuesta: Ninguno que es_____de Dios.

16. Juan 14:15

Como cristianos, a menudo hablamos del amor de Dios por nosotros y de nuestro amor por Él, o del amor que deberíamos prodigarle. Pero, ¿qué cosa deberíamos hacer como prueba de que realmente lo amamos y somos Sus discípulos?

Respuesta:_____ _____ _____.

17. Mateo 22:37

¿De qué manera respondió Jesús que debíamos amar al Señor para cumplir el Mandamiento más importante de todos?

Respuesta: Y amarás al Señor tu Dios con todo tu_____ y con toda tu _____y con toda tu_____.

18. Mateo 22:39

El segundo mandamiento más importante es:

Respuesta: Ama a tu_____ como a ti mismo.

19. Juan 13:35

¿Cómo reconocerá el mundo que somos verdaderamente discípulos de Jesús?

Respuesta: Si se_____ _____ ___ _____.

20. Juan 15:13

El mayor acto de amor es cuando uno hace ¿qué tipo de acción?

Respuesta: Que uno de su_____.

21. Juan 15:14

¿Qué se nos demanda para que Jesús nos llame Sus amigos?

Respuesta: Que hagamos lo que Él nos_____que hagamos.

En esta lección hemos visto los diferentes aspectos de lo que realmente significa ser un discípulo de Jesús. Por lo tanto, se requiere de determinación y un total compromiso de vida si realmente deseamos convertirnos en discípulos de Cristo.

Algunas escrituras de concordancia sugeridas como referencia para tus reflexiones son: Juan 15:5-6; 2 Corintios 6:14-18; 1 Juan 2:15-17; 1 Juan 5:1-3.

REFLEXIONES:

_____

_____

_____

_____

_____

_____

_____

_____

_____

_____

_____

_____

_____

_____

_____

_____

_____

_____

_____

_____

_____

_____

_____

_____

_____

_____

_____

_____

_____

_____

_____

_____

_____

_____

_____

Respuestas:

1. Señor, Cristo

2. Arrepiéntanse

3. Arrepiéntanse, bautícense, don

4. Negarse, cruz, seguirle

5. Confiesas, Señor

6. Sobre

7. Seguirlo

8. Creer

9. Siguen

10. Calcular el costo

11. Vende, sígueme

12. Perecerán

13. No

14. Practica

15. Nacido

16. Guardar Sus mandamientos

17. Corazón, alma, mente

18. Prójimo

19. Aman unos a otros

20. Su vida (muera por ellos)

21. Ordena

BAUTISMO EN AGUA

En esta lección analizaremos el bautismo en agua, los aspectos que lo definen, así como la frecuencia con que debe realizarse. Aunque nos basaremos en el Nuevo Testamento, también estudiaremos los paralelos del bautismo en agua en el Antiguo Testamento.

En primer lugar, debemos preguntarnos en qué consiste el bautismo en agua. La palabra bautismo proviene del griego «baptizo», que significa mojar o sumergir algo completamente. (Spiros Zodhiates, 1990).

1. **Hechos 8:38**

   Una vez que el eunuco etíope confesó su fe en Jesús, ¿adónde fue con Felipe para ser bautizado?

   Respuesta: Ambos_____ en el agua.

2. **Romanos 6:3**

   ¿En qué hemos sido bautizados?

   Respuesta: Hemos sido bautizados en Su_____.

   Romanos 6 explica que el bautismo significa morir completamente a uno mismo por medio de la inmersión. Aunque ya aprendimos que la salvación viene por la gracia de Dios a través de la fe, es necesario dar testimonio publico de nuestra fe por medio de nuestro comportamiento.

3. **Mateo 28:18-20**

   ¿Por qué debemos bautizarnos? (La respuesta está en el verso 19)

   Respuesta: Por Jesús lo ordenó_____ _____, y hacer discípulos y bautízalos...

4. **Mateo 28:19**

   ¿En nombre de quién se les enseñó a los discípulos que bautizaran a los creyentes?

   Respuesta: en el nombre del_____,_____,_____.

5. **Hechos 2:38**

   ¿Cuál es el nombre personal del Padre, Hijo y Espíritu Santo?

   Respuesta:_____.

6. **Romanos 6:4-5**

   ¿Cuáles son las 3 cosas que simbolizan el bautismo en agua?

   Respuesta: La_____, _____y _____ de Jesús.

7. **Romanos 6:4**

   Ya que se trata más que un símbolo, ¿qué le sucede a nuestra «vieja naturaleza» durante el bautismo?

Respuesta: hemos sido_____ con Él por medio del bautismo para muerte.

8. Romanos 6:4

No solo somos sepultados con Él en el bautismo, sino que cuando descendemos del agua, ¿qué más nos sucede?

Respuesta: Creemos por la fe que ahora podemos caminar en una_____ _____.

9. Romanos 6:5

¿En qué tipo de poder consiste esta «novedad de vida»?

Respuesta: En que nos asemejamos a Su_____.

10. Romanos 6:1-2

Después de recibir a Jesús en nuestros corazones y ser bautizados en agua, ¿tenemos alguna excusa para vivir o practicar el pecado?

Respuesta:_____.

11. Colosenses 2:11-12

¿Qué tipo de operación espiritual realiza el Espíritu Santo mientras somos bautizados en agua?

Respuesta: Somos_____con una circuncisión no hecha por manos.

12. Génesis 17:10

¿Qué cosa fue considerada como una señal de pacto entre Dios y el hombre en el Antiguo Testamento?

Respuesta: La_____.

Dios usó simbolismos y profecías en el Antiguo Testamento para predecir eventos que se cumplirían en el Nuevo Testamento. Un ejemplo fue el cruce del Mar Rojo por Moisés y los hijos de Israel, que fue una tipología (simbolismo) del bautismo. (Lee Éxodo 14:13-31.) En los versículos del 28 al 30 se narra que las agua se separaron y luego se volvieron a juntar ocasionando que el ejército egipcio fuera destruido por completo. En contraste, los israelitas pasaron al otro lado en total libertad.

13. Éxodo 14:28

¿Qué ocurrió con el ejército de Faraón que simboliza la sepultura de nuestros enemigos y nuestra antigua manera de vivir antes de que conociéramos a Jesús?

Respuesta: Y las aguas volvieron y_____ los carros y la caballería.

14. Éxodo 14:31

¿Qué fue lo que vieron los es israelitas ese día que les hizo temer, reverenciar y creer en el Señor?
Esto tipifica la capacidad que recibe el creyente para caminar en una «nueva vida» como prerrogativa y resultado de ser bautizado en agua.

Respuesta: Israel vio el gran_____ que el SEÑOR había usado contra los egipcios...

Vemos, pues, que se trata mucho más que un mero simbolismo. Por ese motivo, en el momento del bautismo algo extremadamente poderoso ocurre, muy similar a lo que le ocurrió a Israel cuando las aguas del Mar Rojo se abrieron ante ellos.

15. Hechos 2:41

Según este pasaje, ¿cuándo fueron bautizados los nuevos convertidos?

Respuesta:_____ _____.

16. Hechos 16:33

¿Qué tan rápido se bautizaron el carcelero y su familia?

Respuesta:_____.

Es evidente que Iglesia neotestamentaria enfatizaba la necesidad de bautizar a los nuevos creyentes inmediatamente después de que se convertían.

17. Romanos 6:6

¿Qué sucede con el yugo del pecado una vez que hemos sido bautizados?

Respuesta: ya no somos_____del pecado.

Esta es la razón por la que no resultaba extraño que los discípulos enseñaran a los nuevos creyentes a bautizarse de inmediato. Ellos entendían que el poder del viejo hombre (esclavitud) tenía que ser vencido y sepultado, para así poder caminar en una nueva vida.

Puede incluir las siguientes Escrituras como concordancia para tus reflexiones: Hechos 8:12; Hechos 8:36-39 y Hechos 10:44-48.

REFLEXIONES:

_____

_____

_____

_____

_____

_____

_____

_____
_____
_____
_____
_____
_____
_____
_____
_____
_____
_____
_____
_____
_____

Respuestas

1. Descendieron

2. Muerte

3. Id, pues

4. Padre, Hijo, Espíritu Santo

5. Jesús

6. Muerte, sepultura, resurrección

7. Sepultado

8. Novedad (nueva) vida

9. Resurrección

10. No

11. Circuncidados

12. La circuncisión

13. Cubiertos

14. Poder

15. Aquel día

16. Inmediatamente

17. Esclavos

El ESPÍRITU SANTO Y EL BAUTISMO DEL ESPÍRITU SANTO

En Hechos capítulo 2 leemos acerca de un hecho ocurrido en la celebración judía llamada Fiesta de Pentecostés. Previamente Jesús les había dado algunas instrucciones a sus discípulos de esperar en Jerusalén el encuentro con el Espíritu Santo, hecho que daría comienzo a la era de la Iglesia y cambiaría el curso de la Historia.

En la presente lección, abordaremos las características del Espíritu Santo, cuán importante es Su bautismo, y cómo podemos recibir esta extraordinaria y transformadora experiencia de vida.

En la lección anterior aprendimos sobre el bautismo en agua y que la palabra griega para bautismo es baptizo, que significa mojar o sumergir algo completamente.

1. **Lucas 3:16**

   ¿Qué se dijo sobre el bautismo en agua realizado por Juan el Bautista en comparación con el bautismo del Espíritu Santo?

   Respuesta: Yo os bautizo con agua; pero viene el que es más poderoso que yo (Jesús); Él os bautizará con_____ _____ y _____.

2. **Romanos 8:26-27**

   ¿Cuál es una de las funciones del Espíritu Santo?

   Respuesta: ...pero el Espíritu mismo_____por nosotros...

   La palabra «interceder» tiene sus raíces en una palabra de carácter jurídico que se traduce como «abogado» o «consejero». (Spiros Zodhiates, 1990).

   El Espíritu Santo, como nuestro consejero legal, nos respalda ante el Padre a través de nuestras oraciones. Esta disposición legal del Espíritu Santo como consejero se hizo efectiva por medio del sacrificio y muerte de Jesucristo en la cruz. El acto de su amorosa expiación nos justificó increíblemente haciendo posible que Él pueda venir y habitar entre nosotros.

3. **Juan 14:16**

   ¿Qué otro rol tiene el Espíritu Santo?

   Respuesta: Él os dará otro_____ para que esté con vosotros para siempre...

4. **Juan 14:17**

   ¿Qué nombre se le da aquí al Espíritu Santo?

   Respuesta: El Espíritu Santo es el_____ _____ _____, a quien el mundo no puede recibir...

5. **Juan 14:26b**

   Describa dos roles adicionales que tiene el Espíritu Santo.

   Respuesta:_____, y os hará_____.

6. Juan 15:26

Cuando el Padre celestial nos envíe el Espíritu Santo, ¿qué hará Él por Jesús?

Respuesta:_____ _____ de Él.

7. Juan 16:13b

¿Qué aspectos proféticos del Espíritu Santo se muestran aquí?

Respuesta: y os hará saber lo que_____ _____.

Como vemos, Jesús estaba preparando a Sus discípulos para las cosas que Él haría por ellos y a través de ellos.

8. Juan 16:8

Cuando el Espíritu Santo venga ¿de cuáles tres cosas convencerá al mundo?

Respuesta:_____,_____,_____ .

9. Juan 14:17

¿El Espíritu Santo vivía dentro de los seguidores de Jesús antes de que Él resucitara y ascendiera al cielo?

Respuesta:_____.

10. Lucas 24:49

Ya que el Espíritu Santo aún no moraba en Sus discípulos, ¿qué les pidió Jesús que hicieran con relación a la venida del Espíritu Santo?

Respuesta: permaneced en la ciudad hasta que seáis_____ con poder de lo alto.

11. Hechos 1:5

¿Qué otro significado tiene la frase «seáis revestidos con poder de lo alto»?

Respuesta: ustedes serán _____con el Espíritu Santo.

12. Hechos 1:8

Menciona las dos cosas que ocurren cuando el Espíritu Santo desciende sobre ti.

Respuesta: pero recibiréis_____y me seréis _____.

13. Hechos 2:38

En su primer sermón Pedro dijo que debía haber una progresión de tres cosas en la vida de aquellos que eligieran seguir a Jesús. ¿Cuál era esa tercera cosa que debía seguir al arrepentimiento y al bautismo?

Respuesta: y recibiréis el_____del Espíritu Santo.

Tanto la salvación eterna como el bautismo del Espíritu Santo no se pueden ganar, ya que son un regalo (don).

14. Hechos 2:39

¿Para quienes está disponible este regalo?

Respuesta:_____ _____ como el Señor nuestro Dios llame.

15. Hechos 2:4 y 4:8

¿Qué otra expresión común fue usada para el bautismo del Espíritu Santo?

Respuesta: Todos fueron_____ del Espíritu Santo.

Lo anterior se debe a que «estar lleno» es sinónimo de estar sumergido. Y como mencionamos anteriormente, la raíz etimológica de bautizar es sumergir.

16. Hechos 4:31

¿Qué rasgo en común tuvieron los discípulos una vez fueron llenos del Espíritu Santo?

Respuesta: y hablaban la palabra de Dios con_____.

17. Hechos 2:4

¿Cuál es la manifestación sobrenatural más común del bautismo del Espíritu Santo o el ser llenos del Espíritu Santo?

Respuesta: y comenzaron a hablar en otras_____.

18. Romanos 8:26

¿Qué otro término es usado aquí para el «hablar en lenguas»?

Respuesta: pero el Espíritu mismo_____ por nosotros con gemidos indecibles...

19. Romanos 8:26

¿Por qué es tan valioso el «hablar (u orar) en lenguas»?

Respuesta: porque no sabemos_____ _____ debiéramos...

Cuando oramos en lenguas, nuestra mente es acallada haciendo que la voluntad del Espíritu Santo sea cumplida mientras Él ora a través de nosotros.
A pesar de lo anterior, muchos a menudo se preguntan qué tan importante es el desear hablar en lenguas.

20. 1 Corintios 14:5,39

¿Deseaba el apóstol Pablo que todos hablaran en lenguas?

Respuesta:_____.

Concluiremos esta lección mencionando tres maneras en las que se puede recibir el bautismo del Espíritu Santo. En primer lugar, se debe comprender el principio bíblico de que todo lo que recibimos de Dios es por medio de la fe, sin importar si se trata del regalo de la salvación, recibir sanidad o recibir respuesta a alguna petición de oración. La evidencia de tu fe no depende de que ocurra una señal o manifestación extraordinaria, sino más bien de creer que ya recibiste la respuesta de Dios desde el momento mismo en que le clamaste por algo.

Pues bien, el bautismo del Espíritu Santo no es la excepción. ¡Por lo tanto, cree que va a ocurrir desde el mismo instante en que lo pidas!

Ten presente que las manifestaciones del Espíritu Santo pueden ocurrir de inmediato o suceder más tarde. En cualquier caso, deséalo y espera, así como Pablo nos animó a hacerlo.

21. Hechos 8:14-17

Menciona una de las formas en que puedes recibir el bautismo del Espíritu Santo.

Respuesta: orando e_____ _____ _____ sobre ellos.

22. Hechos 10:44-46

¿De qué otra forma pude uno recibir el bautismo del Espíritu Santo?

Respuesta: Escuchando el_____hablado.

23. Lucas 11:13

Menciona cuál es esa tercera manera de recibir el Espíritu Santo.

Respuesta: El padre da el Espíritu Santo a quienes_____ ـــــ _____.

Las escrituras de concordancia sugeridas para tus reflexiones son las siguientes: Hechos 19:6; 1 Corintios 14:14-15 y Judas 1:20.

REFLEXIONES:

_____

_____

_____

_____

_____

_____

_____

Respuestas:

1. Espíritu Santo, fuego
2. Interceder
3. Consolador
4. Espíritu de verdad
5. Maestro, recordará
6. Dará testimonio
7. Habrá de venir.
8. Pecado, justicia, juicio
9. No
10. Investidos
11. Bautizados
12. Poder, testigo
13. Don
14. Para tantos
15. Llenos
16. Valor
17. Lenguas
18. Intercede (ora)
19. Orar como
20. Sí
21. Imponiendo las manos
22. Mensaje
23. Se lo pidan

PALABRA DE DIOS: La autoridad final

Como aprendimos en la lección sobre la salvación, nuestra fe se basa en una relación personal con Dios. Dicha relación fue proporcionada por medio de la vida, muerte y resurrección de Su Hijo, Jesucristo. Sin embargo, debido a que somos criaturas imperfectas, Dios nos ha provisto de Su Palabra escrita, la Biblia, para guiarnos en cada área de la vida. Sabemos con certeza que las traducciones de la Biblia con las que contamos en la actualidad son auténticas y veraces porque al cotejarlos con algunos manuscritos históricos que han logrado ser preservados, tanto del Antiguo como del Nuevo Testamento, los datos coinciden a la perfección. Incluso muchos de los historiadores que vivieron en los días del Nuevo Testamento dieron fe de la autenticidad de los textos con los que hoy contamos. Esto prueba que los pensamientos, leyes y principios de las Escrituras son asombrosamente consistentes, pues al leer y meditar en ella, podemos ver con claridad la dirección de Dios y del Espíritu Santo a lo largo y ancho de Su Palabra.

1. **2 Timoteo 3:16**

   Dado que se considera la Biblia como nuestra «máxima autoridad», ¿piensa usted que toda ella es 100% precisa?

   Respuesta:_____.

   La definición literal de «inspirado» es respirado por Dios.

2. **Mateo 4:4**

   Según lo manifestado por Jesús, ¿qué tan importante consideró Él la Palabra de Dios?

   Respuesta: es más importante que nuestro_____.

3. **Salmos 119:105**

   ¿Cuáles son esas dos palabras con las que se describe el poder que se halla en la Palabra de Dios, y cómo ella nos guía?

   Respuesta:_____es a mis pies tu palabra, y_____ para mi camino.

   Ahora veamos cuál es la comparación entre Jesús y la Palabra de Dios.

4. **Juan 1:1,14**

   ¿Cómo se le llamó al Verbo?

   Respuesta: gloria como del_____del Padre...

   En Juan 1:1 leemos que en el principio era el Verbo. En el libro de Génesis Adán y Eva fueron confrontados por la «Serpiente» (Satanás) con respecto a la autenticidad de la Palabra de Dios.

5. **Génesis 3:2-7**

   ¿Cuál fue la mentira central que le dijo la serpiente a Eva y contravenía totalmente la instrucción de la Palabra de Dios?

   Respuesta: Ciertamente_____ _____.

Note cómo Eva justificó su pecado de desear (o codiciar) el fruto. El pecado cometido por Adán y Eva originó una maldición de carácter genético que se transmitió de generación en generación hasta la época de Jesús.

6. **Juan 17:17**

Si Adán y Eva hubieran decidido obedecer la Palabra de Dios, ¿de qué se habrían enterado?

Respuesta: La Palabra de Dios es_____.

7. **Hebreos 4:12**

¿Es la Palabra de Dios solo un conjunto de reglas y leyes «sobre qué hacer y qué no»? ¿Cuáles son las dos primeras características de la Palabra de Dios?

Respuesta:_____, la Palabra de Dios es _____ y _____.

8. **Juan 6:63b**

¿Cuáles son los dos atributos de la Palabra de Dios?

Respuesta: Son_____ y son_____.

9. **Juan 14:6**

Ya que sabemos que la Biblia dice que la Palabra de Dios es «verdad» y que Jesús es la «Palabra viva», ¿Con cuáles tres cosas se describen a Jesús aquí?

Respuesta: Yo soy el_____ y la _____ y la _____.

Observe que Jesús no es solo «un» camino «una» verdad y «una» vida, sino que se le describe con los artículos determinados: EL camino, LA verdad y LA vida. Esto es prueba irrefutable de que Él es verdaderamente Dios y también el único medio por el cual podemos obtener una relación eterna con Dios.

10. **Juan 8:32**

Aunque la Palabra de Dios incluye hechos e información, ¿qué debemos hacer con relación a la Verdad para estar realmente libres del pecado?

Respuesta:_____la verdad y la verdad os hará libres.

11. **Juan 4:24**

La Palabra de Dios es mucho más profunda que el conocimiento de la mente. ¿Qué atributo de Su deidad está dentro de nosotros para que lo adoremos?

Respuesta: Dios es_____.

Debido que a que tenemos Su Espíritu Santo en nosotros, podemos adorarlo desde nuestro corazón, pues sabemos que allí es donde Su Espíritu habita.

La Palabra de Dios es la base fundamental de todo lo que creemos. Sin ella, fácilmente nos descarriaríamos de lo que es correcto o incorrecto. Por tal motivo, en el Antiguo Testamento se hallan las leyes que Dios les exigió a Su pueblo para que vivieran. Exceptuando los sacrificios de animales y las leyes de purificación, nosotros como cristianos aún estamos obligados a cumplir las demandas de las demás leyes.

12. Mateo 5:17

¿Qué dijo Jesús que vino a hacer con respecto a la Ley?

Respuesta: Él no vino a_____la Ley, sino más bien a_____.

Así, pues, que la Palabra de Dios (Sus leyes) es mucho más que una simple «descripción de la realidad» tendiente a guiarnos y protegernos.

13. Gálatas 5:16

Aunque a veces nos parezca difícil seguir las leyes de Dios y sus caminos, si desarrollaos una relación diaria y personal con Él, ¿qué tipo de práctica nos ayudará a cumplir cabalmente con dichas leyes?

Respuesta:_____ _____ _____ _____.

En las Escrituras existen dos modos para definir a la Palabra de Dios, y cada uno tiene una acepción diferente en relación al contexto del pasaje:

Logos: definido como la expresión inteligente de Dios manifestado en palabras. (Spiros Zodhiates, 1990).
Rhema: La verdad revelada y expresión más profunda de la palabra de Dios (definición del autor).

14. Romanos 10:17

La expresión rhema se usa aquí para la Palabra de Dios. Con base en esto, ¿qué sucede cuando escuchas la Palabra de Dios?

Respuesta: así que la_____ _____ del oír.

15. Salmos 1:1-3

¿Qué debemos hacer para ser bendecidos y prosperados en todos nuestros caminos?

Respuesta: ...y en su ley_____ de día y de noche.

Veamos las maneras en que podemos meditar en la Palabra de Dios.

16. Proverbios 4:20

¿Cuál es la primera acción que podemos usar para meditar en las Palabras de Dios?

Respuesta:_____ _____ a Su palabra.

17. Proverbios 4:20

¿Qué es lo segundo que se necesita para meditar en las Palabras de Dios?

Respuesta: Inclina tu_____ a sus razones.

18. Proverbios 4:21

¿De dónde no vamos a permitir que las Palabras de Dios nos aparten?

Respuesta: que no se aparten de tus _____.

19. Proverbios 4:21

¿Dónde plantaremos la Palabra de Dios si usamos las herramientas de prestar atención, escuchar y meditar?

Respuesta: Guárdalas en medio de tu_____.

20. Romanos 12:2

¿Qué debemos hacer para demostrar que la voluntad de Dios es buena, agradable y perfecta?

Respuesta: sino_____ mediante la _____de vuestra mente...

21. Efesios 5:26-27

Para que la Iglesia sea santificada (apartada para Su servicio) y limpiada, ¿qué debemos hacer?

Respuesta: por el_____del agua con la palabra...

En cierto sentido, es como una limpieza espiritual que ocurre día a día mientras meditamos en las palabras de Dios y somos transformados a la imagen de Cristo Jesús.

22. Santiago 2:17,20

¿Cómo llama Dios aquella fe que no es consecuente con las obras?

Respuesta: La fe sin _____ es _____/_____.

23. Mateo 7:24-27; Lucas 6:47-49

Si queremos ser una persona con un «buen fundamento», ¿qué debemos hacer, además de escuchar la Palabra de Dios y su instrucción?

Respuesta: cualquiera que oye estas palabras mías y ____ _____ _____ _____.

En esta lección hemos estudiado cómo la Palabra de Dios (la Biblia) es la piedra angular de nuestra fe, y cómo Jesús es revelado en ella como la «Palabra viva».

Aunque existen cientos de escrituras que pudieras elegir para tus reflexiones respecto a esta lección, dejo a tu consideración la siguiente lista de referencias cruzadas: Juan 15:7-8; todo el Salmo 119, incluidos los versículos 9,25,34,60,89, 103,133,148,151,60 y 165.

REFLEXIONES:

_____

_____

_____

_____

_____

_____

_____

_____

_____

_____

_____

Respuestas:

1. Sí
2. Alimento
3. Lámpara, luz
4. Unigénito
5. No moriréis
6. Verdad
7. No, viva, eficaz
8. Espíritu, vida
9. Camino, verdad, vida
10. Conoceréis
11. Espíritu
12. Abolir, cumplirla

13. Andad por el Espíritu
14. La fe viene
15. Medita
16. Prestar atención
17. Inclina
18. Ojos
19. Corazón
20. Transformaos, renovación
21. Lavamiento
22. Obras, muerta/estéril
23. Las pone en práctica

ORACIÓN

La oración y el evangelismo son dos de las disciplinas más importantes que los cristianos debemos comprender y practicar en nuestro diario caminar con Dios. Sin embargo, la gran mayoría de nosotros no somos muy consistentes en la práctica de algunas de estas áreas.

En el caso de la oración, el problema radica en que tal vez no entendamos muy bien en qué consiste esta disciplina, o porque no lo creamos fundamental y por eso no apartamos un tiempo con regularidad para orar. Cualquiera sea el motivo, lo cierto es que, si no oramos de manera eficaz y constante, lo más seguro es que empecemos a tener sentimientos de culpa y, eventualmente, lleguemos incluso a descartar la oración de nuestra rutina de vida.

No obstante, a fin de que logremos convertirnos lo que la Biblia describe como «vencedores» en la oración, en la presente lección definiremos en qué consiste esta disciplina y revisaremos los diferentes tipos de oración que existen para que así usted pueda tener claridad en cuanto algunas de sus características esenciales.

Por otra parte, veremos cómo deben ser nuestros motivos al orar y lo que Dios desea lograr, tanto en Su reino, como en nuestra relación personal con Él a través de la oración.

La oración en su definición más básica es sencillamente «comunicarse con Dios». Echemos un vistazo a lo que solemos llamar la oración del «Padre Nuestro», la cual es nuestra guía práctica sobre cómo orar eficazmente.

1. Mateo 6:9

¿Con qué título de carácter relacional dijo Jesús que debemos dirigirnos a Dios?

Respuesta:_____nuestro que estás en el cielo.

2. Mateo 6:9

¿Cuál es la siguiente frase que se usa para referirse al nombre de Dios?

Respuesta:_____sea Tu nombre.

Santificado significa santo, es decir, alguien a quien debemos darles gran reverencia.

3. Mateo 6:10

En lugar de pedirle a Dios que satisfaga inmediatamente nuestras necesidades personales, ¿cuáles son las dos cosas por las que primero debemos orar?

Respuesta: Venga tu_____, hágase tu _____.

4. Mateo 6:10b

¿De dónde fluyen los planes de Dios, con respecto al cumplimiento de Su voluntad aquí en la tierra?

Respuesta: Hágase tu voluntad, así en la tierra como en el_____.

5. Mateo 6:11

En este versículo cambia el énfasis hacia nosotros pidiéndole que satisfaga nuestras necesidades personales. ¿Qué cosas se piden aquí específicamente?

Respuesta:_____ _____ _____.

Tenga en cuenta que la Escritura no dice que se pida por que se satisfagan sus necesidades durante un periodo prolongado de tiempo. Lo que Dios busca en que cultivemos una relación diaria con Él.

6. **Mateo 6:33**

Al ser la oración un asunto de prioridades, ¿cuáles son las dos cosas que debiéramos hacer primero si queremos que Dios satisfaga nuestras otras necesidades?

Respuesta: Pero buscad primero su_____ y su _____.

Al hacer esto mostramos la humildad que Dios demanda. Dios busca personas que deseen hallar lo que más le complace a Él y que luego oren para que esto sea cumplido.

7. **Mateo 6:12**

Si queremos que Dios perdone nuestras deudas (pecados), ¿qué debemos hacer?

Respuesta:_____a aquellos que tienen deudas con nosotros, es decir, que han cometido malas acciones en nuestra contra.

8. **Mateo 6:14-15**

¿Perdonará nuestro Padre celestial nuestros pecados si nos negamos a perdonar a los demás?

Respuesta:_____.

9. **Mateo 6:13**

¿De qué dos cosas debemos orar que se nos libre?

Respuesta:_____,_____.

Veamos algunos de los más importantes tipos de oración y que pueden ayudarnos a comprender cómo mucho más eficazmente.

10. **Mateo 15:36**

¿Qué fue lo primero que hizo Jesús antes de realizar el milagro de la multiplicación de los siete panes y los peces?

Respuesta: Él dio_____.

11. **Filipenses 4:6**

¿De qué forma debemos combinar nuestras peticiones de oración si queremos que nuestras oraciones sean contestadas?

Respuesta: con_____ ___ _____, sean dadas a conocer vuestras peticiones.

La acción de gracias nos ayuda a ser humildes y nos recuerda constantemente de dónde provienen nuestras bendiciones. El siguiente tipo de oración se llama «petición».

12. Filipenses 4:6

¿Qué palabra lleva implícita una petición en este versículo?

Respuesta: mediante oración y _____con acción de gracias, sean dadas a conocer vuestras peticiones delante de Dios.

Las peticiones (o súplicas) son los elementos específicos que podríamos necesitar en un momento dado. Algunos ejemplos pueden ser una petición de sanidad, que se satisfaga una necesidad económica o que se restaure una relación personal rota (solo por citar algunos).

13. Job 22:28

El tipo de oración que se menciona aquí requiere valor y confianza para que se cumpla. ¿de qué se trata?

Respuesta:_____una cosa, y se te cumplirá, y en tus caminos resplandecerá la luz.

14. Mateo 18:19

¿Qué tipo de oración se resalta aquí y que muestra que hay mayor poder cuando más de una persona está orando?

Respuesta: La oración de_____.

15. Deuteronomio 32:30

Una muestra vehemente del poder exponencial del acuerdo, es que una sola persona puede hacer que mil enemigos huyan. Pero, ¿cuántos huirán cuando dos personas se ponen de acuerdo para hacer algo que Dios les ha mandado?

Respuesta:_____.

16. Juan 14:16

Si usted buscara la raíz etimológica de la palabra «consolador» que se encuentra en este versículo, descubriría que existe un aspecto jurídico en ella. ¿Cuál es la palabra griega para consolador, y que demuestran las características jurídicas del Espíritu Santo? Si lo requiere, use la Concordancia Exhaustiva Strong para encontrar dicha palabra.

Respuesta: Él os dará otro consolador/_____.

Un intercesor es alguien que habla en representación de otro (u ora) en nombre de esa otra persona con base en un derecho legal que se les ha conferido para que pueda hacer eso. Debido a que el Espíritu Santo es el «Gran intercesor», cada uno de nosotros también somos intercesores, ya que el Espíritu Santo mora en nosotros.

17. Romanos 8:26

Según este pasaje, ¿sabemos orar como conviene?

Respuesta:_____.

18. Romanos 8:26

¿De qué manera nos ayuda el Espíritu Santo?

Respuesta: Con_____ indecibles.

Aprendimos en la lección sobre el Bautismos del Espíritu Santo que la palabra gemidos se refiere a que permitimos que el Espíritu Santo ore a través de nosotros. Esta clase de oración como con dolores de parto y gritos desgarradores incluye el orar en diferentes lenguas. Este tipo de clamor hace que nuestra mente salga de circulación y nuestra boca sea habilitada para orar solo la perfecta voluntad de Dios.

19. Salmos 1:1-3

En este pasaje podemos ver tanto las advertencias como las bendiciones. Sin embargo, es de asumir que todos queremos solo las bendiciones, ¿no es así? Pero, ¿qué tipo de disciplina se practica en el verso 2 atrayendo las bendiciones de Dios?

Respuesta: En Su ley medita_____de día y de noche.

Meditar, en el sentido bíblico, no es solo vaciar la mente de todo pensamiento. La raíz etimológica de la palabra «meditar» significa recitar la Palabra de Dios en voz baja a modo de murmullo. Por causa de que fuimos creados a la imagen de Dios, sabemos que cuando Él declara la Palabra, las cosas son creadas. Asimismo, nosotros podemos confesar o declarar audiblemente Sus promesas como Él lo hace. Esto edifica nuestra fe para que tengamos la certeza de que en el mismo instante en que oramos nuestras peticiones comienzan a ser respondidas.
Hablaré con más detalle sobre cómo opera la meditación de la Palabra de Dios en la lección referente a la fe.
El ultimo prototipo de oración que analizaremos es la «oración contemplativa». Esta clase de oración es similar a la «oración meditativa» solo que mucho más profunda.

20. Salmos 91:1

¿Qué debe hacer uno para permanecer bajo la sombra del Todopoderoso?

Respuesta: El que_____al amparo del Altísimo...

Habitar o «morar» significa que usted toma una decisión consciente de enfocarse única y exclusivamente en Dios. Esto requerirá que usted encuentre un lugar privado alejado de cualquier distracción, de modo que pueda tener sus oídos atentos a lo que el Señor quiere decirle. Sabemos que Dios es alguien personal y que, por lo tanto, podemos relacionarnos con Él de forma íntima y cercana. Nuestro Dios ciertamente quiere decirnos todo tipo de cosas (ayudarnos y no hacernos daño).

21. Juan 15:7-8

¿Cuál es el beneficio máximo de permanecer (morar) en la Palabra y presencia de Dios?

Respuesta: en que den mucho_____, y así prueben que son[a] Mis discípulos.

¿No es asombroso lo mucho que podemos solucionar en nuestras vidas si nos disponemos a darle a Dios el tiempo suficiente para declarar Sus pensamientos y meditar en los caminos que Él tiene para nosotros en lugar de siempre ser nosotros los que le digamos a Él las cosas que creemos necesitar?

Concluyamos esta lección analizando algunas actitudes y motivos que pueden derivar en que nuestras oraciones jamás sean contestadas.

22. 1 Tesalonicenses 5:17

¿Con qué frecuencia o por cuánto tiempo debemos orar?

Respuesta: Oren_____ _____.

«Sin cesar» significa orar regularmente hasta que veas que tu oración ha sido respondida. Incluso después de que tu oración haya sido contestada, Dios podría inspirarlo a continuar orando por cosas otras cosas relacionadas a tu petición o peticiones.

23. Santiago 4:3

¿Cuál es una de las principales razones por las que nuestras oraciones no son respondidas?

Respuesta: piden con malos_____, para gastarlo en sus _____.

24. Lucas 18:2-8

En esta parábola, ¿cuál fue la actitud mostrada por la viuda que tanto impresionó a Dios y que hizo que llamara Su atención? ¿Con que principio fundamental relacionó Jesús esto con relación a nosotros como cristianos?

Respuesta: La_____ de la mujer. Cuando el Hijo del Hombre venga ¿hallará _____ en la tierra?

25. Colosenses 3:17

Realmente solo existe un nombre por el cual debemos hacer todas las cosas, ¡y esto incluye también la oración! ¿Cuál es ese nombre?

Respuesta: háganlo todo en el nombre del Señor_____.

Existen cientos, por no decir miles, de escrituras referentes a la oración en la Biblia. Sin embargo, les dejaré solo algunas cuantas para ayudarles a elaborar tus reflexiones sobre esta lección: Salmo 30:8; I Tesalonicenses 5:18; Hechos 12:5; Santiago 5:16; Marcos 11:22-25 y Lucas 10:2.

REFLEXIONES:

_____

_____

_____

_____

_____

_____

_____

_____

_____

_____

_____

_____

_____

_____

_____

_____

_____

_____

_____

Respuestas:

1. Padre
2. Santificado
3. Reino, voluntad
4. Cielo
5. El pan diario
6. Reino, justicia
7. Perdonar
8. No
9. Tentación, mal
10. Gracias
11. Acción de gracias
12. Súplica

13. Decidirás (declarar)
14. Acuerdo
15. Diez mil
16. Intercesor
17. No
18. Gemidos
19. Medita
20. Habitar (morar)
21. Fruto
22. Sin cesar
23. Propósitos, placeres
24. Persistencia, fe
25. Jesús

ALABANZA Y ADORACIÓN

En esta lección descubriremos las similitudes y las diferencias que existen entre alabanza y adoración. Alabar y adorar es de vital importancia para nuestro desarrollo personal como cristianos, así como para hacer que el reino de Dios sea establecido aquí en la tierra tal como Dios lo ha planeado en el cielo. Lo primero que debemos saber es que se requiere humildad para adorar a Dios sin vergüenza.

Veamos algunas de las maneras en las que deberíamos estar adorando y alabando a Dios.

1. **Salmos 150:6**

   Como creyentes en Jesús, ¿es la alabanza un mandato o solo algo opcional?

   Respuesta:_____ _____.

Antes de analizar las diferentes formas en las que podemos alabar y adorar, tracemos las diferencias entre las dos. En términos generales, la alabanza es más la proclamación de quién es Dios y todo lo que Él ha hecho. Esta proclamación se hace con ímpetu y profunda emotividad. En contraste, la adoración es por naturaleza más íntima y personal, pues centra en Dios mismo y tiene como finalidad experimentar su presencia de forma potente y real. A través de ella experimentamos profundamente todo lo que el Espíritu Santo desea revelarnos.

2. **Salmos 150:3-5**

   ¿Cuáles son los ocho (8) instrumentos enumerados en este pasaje con los que se nos exhorta alabar a Dios?

   Respuesta:_____,_____,_____,_____,_____,_____,_____,_____.

3. **Salmos 104:35; Apocalipsis 19:1**

   ¿Cuál es la palabra de carácter universal que se usa, tanto en el Antiguo como Nuevo Testamento, para alabanza?

   Respuesta:_____.

4. **Salmos 149:1**

   ¿Cuál es el método de alabanza más común?

   Respuesta:_____.

5. **Salmos 149:1**

   Menciona uno de los lugares dónde debemos alabar al Señor.

   Respuesta: En la_____ congregación de los santos.

6. **Salmos 149:5**

   ¿En qué oro lugar los creyentes deben alabar al Señor?

   Respuesta: Cantes con gozo sobre_____ _____.

La alabanza es mostrada en la Escritura una y otra vez, ya sea en entornos congregaciones como personales. Dios es un Padre personal y tiene cosas íntimas que desea mostrarnos de forma privada. Veremos los motivos por los que Dios opera de estas dos formas más adelante en esta lección.

7. **Salmos 149:3ª**

¿De qué otra manera debemos alabar al Señor?

Respuesta: Alaben Su nombre con_____.

En la Iglesia en general existe diversas opiniones y posturas sobre si debemos danzar o no. Si usted es una de las personas que ha elegido no danzar, no juzgues a quienes sí eligen hacerlo para el Señor.

8. **2 Samuel 6:14-16,20-23**

¿Qué le sucedió a Mical, esposa del rey David, por criticar a su esposo el rey por danzar delante del Señor?

Respuesta: Ella fue_____hasta el día de su muerte.

9. **Salmos 47:1**

Menciona otra dos formas más en que podemos alabar al Señor

Respuesta:_____,_____.

10. **Salmos 22:3**

¿Qué sucede con nuestra alabanza cuando la hacemos un corazón sincero?

Respuesta: Dios_____entre las alabanzas de Israel.

El contexto de la palabra «habitar» o «entronizar» como lo traduce otras versiones de la Biblia, tiene que ver con la imagen de Dios gobernando y reinando sobre los poderes de las tinieblas o cualquier otra circunstancias por medio de nuestras alabanzas.

11. **2 Crónicas 20:22-23**

¿Qué les sucedió a los enemigos de Israel cuando el pueblo de Dios adoró y alabó al Señor a una sola voz?

Respuesta: Fueron_____, se destruyeron _____ _____ _____.

12. **1 Crónicas 16:4-7,37**

El rey David tenía un profundo conocimiento acerca de la alabanza y la adoración, pues se le había revelado que la adoración era un escudo protector para el pueblo de Dios.
¿Qué clase o cantidad de adoración se requería ofrecer ante el Arca de la presencia d Dios?

Respuesta: Se debe ministrar ante el Arca de Dios_____.

13. Hechos 15:16-18

Al principio, el Arca del Pacto era llevada de un lugar a otro y resguarda en una tienda; es decir, era móvil y de fácil movilidad. Más tarde, un hermoso y permanente templo (el Templo de Salomón) fue construido para que en él habitara la presencia de Dios. En una de las cartas del Nuevo Testamento el apóstol Santiago vio, por medio de una revelación divina, que algo profético se cumplió cuando los gentiles también comenzaron a ser salvos al recibir a Jesús en sus corazones. En su visión el apóstol en cuestión vio una multitud de personas de todas las naciones adorando al Señor. ¿Qué elemento del Antiguo Testamento fue lo que el apóstol Santiago vio que era restaurado?

Respuesta: El_____de David.

El templo se refiere al lugar de la presencia de Dios en el Antiguo Testamento. En el Nuevo Testamento, la presencia de Dios no se limita a un edificio, sino que Su Espíritu habita en cada uno de nosotros. ¡Jesús es el Tabernáculo en nosotros! ¡Qué hermosa imagen de personas de todas las naciones, tribus y lenguas adorando a Dios!

14. Juan 4:23-24

Jesús le dijo a la mujer samaritana junto al pozo que el Padre ahora buscaba dos cosas en los adoradores. ¿Cuáles eran esas dos cosas?

Respuesta: los verdaderos adoradores adorarán al Padre en_____y_____.

En esta coyuntura histórica, Jesús dejó en claro que no estaba tan interesado del lugar físico donde adoremos, sino más bien de la condición de nuestro corazón. Él busca personas que lo adoren a Él y al Padre con genuina sinceridad. Jesús ilustró hermosamente esto en su diálogo con la mujer samaritana (la cual era una adúltera) para demostrar que cualquier que haya transformado su corazón (espíritu) en una «nueva creación» en Cristo, Dios el Padre lo considera un verdadero adorador.

15. Salmos 2:11

Anteriormente mencionamos que la adoración consiste en algo mucho más profundo y personal.
¿Cuál es una de las actitudes más importantes que debemos demostrar para experimentar esta íntima y profunda forma de adoración?

Respuesta: Adoren al Señor con_____.

La reverencia demuestra humildad y supremo respeto por la Soberanía de Dios. De este temor reverente es que surge nuestra capacidad de intimar con Él como un Padre amoroso.
Cuando nuestro corazón es puro delante de Él le experimentamos a partir de una verdadera amistad.

16. Salmo 95:6

¿Cuáles son las dos formas de expresar este respeto reverencial en la adoración?

Respuesta: Vengan, adoremos y_____;_____ _____ante el SEÑOR nuestro Hacedor.

17. Salmo 96:3

¿Debemos guardar nuestra alabanza y adoración para nosotros mismos?

Respuesta:_____.

18. Salmo 96:3,10

¿Dónde debemos proclamar la gloria del Señor, así como Sus maravillas y su realeza?

Respuesta: Entre las_____y entre todos los_____.

19. Salmo 96:1

¿Qué tipo de cánticos deberíamos cantarle al Señor con regularidad?

Respuesta: Canten al SEÑOR_____ _____ _____.

¡Quien quita que Dios te dé un cántico nuevo y que todos podamos disfrutarlo contigo!

20. Efesios 5:18-19

En lugar de embriagarnos como dice el versículo 18, ¿cómo deberíamos usar salmos, himnos y cánticos espirituales?

Respuesta:_____ y _____con su corazón al Señor.

21. Salmo 34:1

¿Con qué frecuencia deberíamos alabar al Señor?

Respuesta:_____ estará Su alabanza en mi boca.

22. Apocalipsis 22:8-9

¿Es permitido adorar a los ángeles?

Respuesta:_____ adora a Dios.

23. Mateo 28:17

En este caso, así como en muchos otros, ¿qué hizo la gente y sus discípulos para reverenciar a Jesús?

Respuesta: Lo _____.

Adorar es mucho más que cantar una canción de manera ocasional. La adoración es realmente una forma de vida; es la prueba de que tenemos una permanente relación con Dios.

Al igual que en las referencias de escrituras sugeridas para el ensayo sobre la oración, puedes hallar más de mil escrituras sobre alabanza y adoración. A continuación, te menciono algunas como ejemplo. Puedes usar todos los Salmos, incluidos el 84:1,4 y 10; Salmo 96:9; Filipenses 4:4; 1 Tesalonicenses 5:16 y Apocalipsis 4:9:11.

REFLEXIONES:

_____

_____

_____

_____

_____

_____

_____

_____

_____

_____

Respuestas:

1. Un mandamiento
2. Trompeta, arpa, lira, pandereta, cuerdas
   flautas, címbalos, címbalos resonantes.
3. Aleluya
4. Cantar
5. Congregación
6. Sus camas
7. Danza
8. Estéril
9. Aplaudiendo, aclamando
10. Habita (entroniza)
11. Emboscados, unos a otros

12. Continuamente
13. Tabernáculo
14. Espíritu, verdad
15. Reverencia
16. Postrándonos / doblando rodilla
17. No
18. Naciones, pueblos
19. Un cántico nuevo
20. Cantando, alabando
21. Continuamente
22. No
23. Adoraron

LA GRAN COMISIÓN

Como cristianos podríamos dividir nuestras vidas en dos áreas principales: Conocer a Dios y conocer cuál es nuestra misión o llamado (es decir, todo lo que debemos hacer por Él y Su reino mientras estemos aquí en la tierra). No obstante, conocerlo debe ser nuestra máxima prioridad, pues tiene que ver con nuestra relación con Él. Aunque ya mencionamos esto en una lección previa, nunca sobra repetirlo.

1. **Juan 17:3**
   ¿Equivale realmente conocer a Dios como lo más hermoso que el Padre nos ha otorgado al recibir a Jesús como nuestro Señor y Salvador?

   Respuesta: ...»Y esta es la_____ _____.

   No obstante, lo anterior, en esta presente lección nos centraremos en el aspecto misional del cristianismo y, lo haremos, no solo desde el ámbito de la responsabilidad individual, sino desde la responsabilidad de la Iglesia como entidad corporativa.
   Antes de la Caída, Adán y Eva tenían una perfecta comunión con el Creado. Es en ese contexto, donde aparece la Primera Comisión en la Biblia.

2. **Génesis 1:28**
   ¿Qué mandato les dio Dios a Adán y Eva relacionado con su descendencia futura?

   Respuesta: «Sean_____ y_____.

   Dios siempre ha tenido como plan que Sus hijos hereden la tierra. Desafortunadamente, la humanidad ha faltado a este mandato. Sin embargo, Dios también sabía que obstaculizaríamos Sus planes, así que envió a Jesús y por medio de él instituyó lo que conocemos como La Gran Comisión.

3. **Mateo 28:18-20**
   ¿Qué nos dice Jesús en el verso 19 que hagamos en todas las naciones?

   Respuesta: Vayan, pues, y_____ _____de todas las naciones.

4. **Mateo 28:20**
   Aunque parte de esta comisión se basa en llevar a los pecadores a tener una experiencia de conversión, ¿qué otra cosa de gran importancia mandó Jesús?

   Respuesta:_____a guardar todo lo que les he mandado...

5. **Mateo 28:19**
   Aparte de la experiencia de la conversión, ¿qué otra acción importante les mandó a hacer a los discípulos?

   Respuesta:_____ en el nombre del Padre y del Hijo y del Espíritu Santo...

6. **Mateo 28:18**

¿Cuál es el elemento clave que Dios nos ha dado, tanto a Jesús como a nosotros para que logremos la tarea de la Gran Comisión?

Respuesta: «Toda_____me ha sido dada en el cielo y en la tierra...»

7. Hechos 1:8

Si realmente necesitamos esta autoridad o poder como se indica en este versículo, ¿de dónde viene este poder?

Respuesta: pero recibirán poder cuando el_____ _____venga sobre ustedes...

La raíz etimológica para la palabra poder es la misma que se usa para dinamita. ¡Wow!, si tan solo creyéramos que tenemos esta clase de poder dentro de todos y cada uno de nosotros ¿cuántas cosas lograríamos hacer?
¡Qué importante es que desarrollemos la capacidad de compartir nuestra fe y activemos cada área de nuestro caminar cristiano!

8. Filemón 1:6

De acuerdo con la Versión Reina Valera de la Biblia, ¿qué nos hace más eficaces para que compartamos nuestra fe?

Respuesta: en el_____de todo el bien que está en vosotros por Cristo Jesús.

Aprendemos algo cuando lo repetimos en voz alta. De modo que comienza a memorizar y a declarar audiblemente aquellas escrituras que hablen sobre el poder que Dios ha dicho que está en ti.
Alguien pudiera preguntarse si cada uno de nosotros debe compartir el Mensaje de Salvación o esto es solo para unos pocos «llamados».

9. 2 Corintios 5:17

En primer lugar, debemos recordar un aspecto importante que emprendimos anteriormente en la lección sobre la Salvación.
¿En qué se convierte alguien que ya está en Cristo Jesús?

Respuesta: De modo que si alguno está en Cristo,_____ _____ es...

10. 2 Corintios 5:18

Como resultado de convertirnos en nuevas criaturas (creación), ¿qué ministerio nos da Dios?

Respuesta: y nos dio el ministerio de la_____.

La idea principal de la reconciliación es que se trata de una acción capaz de unir nuevamente o restablecer una relación de amistad que había sido rota. (Spiros Zodhiates, 1990). ¡Este es un ministerio que todos tenemos!

11. 2 Corintios 5:20

Y dado que todos tenemos el ministerio de la reconciliación, ¿qué título maravilloso nos da Dios a cada uno de nosotros?

Respuesta: Por tanto, somos _____ de Cristo...

Un embajador es un representante. Como creyentes, cada uno de nosotros representa a un rey (Jesús) y Su reino, así como todos los principios de Su reino. ¡Indudablemente es un gran honor!

12. Hechos 1:8

Cuando el poder del Espíritu santo desciende sobre nosotros ¿qué sucederá aceptamos o no ser Sus testigos?

Respuesta: y_____Mis testigos...

¡No cabe duda de que Dios es mucho más grande que nuestras limitaciones!

13. Hechos 1:8

¿Debería ser nuestra única preocupación la salvación de nuestra comunidad local?

Respuesta:_____.

No se trata de un asunto cualquiera. Por más difícil que parezca, estamos llamados a ir al mundo entero.

14. Mateo 4:17

Tanto Jesús como Juan el Bautista predicaron el mismo mensaje; ambos declararon que algo estaba siendo revelado ante sus ojos. ¿Qué fue ese algo?

Respuesta: «... el_____de los _____se ha acercado».

Aunque el menaje de Juan el Bautista se centró principalmente en uno de arrepentimiento por desobedecer la Palabra de Dios, Jesús añadió un elemento adicional a Su mensaje y enseñanza.

15. Mateo 11:5

De acuerdo a lo que Jesús les dijo a los discípulos de Juan, ¿qué cosas confirmaban que Él era el Mesías?

Respuesta: Sus_____.

No es extraño, entonces, que luego veamos a los discípulos realizando el mismo tipo de milagros, señales y prodigios que Jesús hizo. Y tampoco debe resultar extraño los increíbles testimonios que se dieron como resultado.

16.Hechos 4:4

¿Cuántos hombres se convirtieron y creyeron en Jesús como resultado de la sanidad del cojo de la Puerta la Hermosa?

Respuesta:_____.

17. Marcos 16:17-18

Además de los apóstoles, ¿a quién más dijo Jesús que seguirían las señales poderosas y milagros?

Respuesta: Y estas señales acompañarán a los que han_____.

Esto nos incluye a TODOS nosotros. De modo debemos esperar ser usados por Dios, ya que las personas que sufren están esperando que Dios actúe a través de todo aquel que se lo permita.

El apóstol Pablo se dio cuenta de que necesitaba que sus hermanos y hermanas en la fe hicieran algo especial por él una vez que se hubieran puesto integralmente «La armadura de Dios» (como se menciona en Efesios 6).

18. Efesios 6:19

¿Qué les pidió a los santos que hicieran para que él diera a conocer el misterio del evangelio y de qué manera iba a lograr hacer esto Pablo?

Respuesta:_____ también por mí, para que me sea dada palabra al abrir mi boca, a fin de dar a conocer _____ el misterio del evangelio...

Así que todos somos realmente enviados por Dios a un mundo perdió que necesita a Cristo. Pero alguien pudiera decir, «¿no puedo hacer simplemente buenas obras o no es suficiente con que ore para que los perdidos encuentren a Jesús?».

19. Romanos 10:14

Este versículo asegura que las almas perdidas no pueden creer en Jesús, a menos que se cumpla un principio básico. ¿Cuál es ese principio?

Respuesta: ¿Y cómo creerán en Aquel de[a] quien no han_____?

20. Romanos 10:14

¿Y de quién necesitan escuchar el evangelio?

Respuesta: ¿Y cómo oirán sin haber quien les_____?

Ya aprendimos que todos somos embajadores, así que no debe extrañarnos que un predicador sea simplemente alguien que proclama el evangelio de Cristo (no solo los ministros ordenados).

21. Romanos 10:15

¿Cuáles dos adjetivos se usan en este versículo para describir el evangelio que es predicado por alguien cuyos pies son hermosos?

Respuesta: Tal como está escrito: «¡CUAN HERMOSOS SON LOS PIES DE LOS QUE _____EL EVANGELIO DEL _____!».

22. Lucas 15:7

La alegría es grande en el cielo cuando un pecador se arrepiente. ¿Cuál es la proporción de alegría por un pecador que se arrepiente comparado con la cantidad de personas justas que no necesitan arrepentirse?

Respuesta: Os digo que así habrá más gozo en el cielo por un pecador que se arrepiente, que por _____ y _____ justos que no necesitan de arrepentimiento.

Escrituras de referencia para tus reflexiones: Lucas 15:8-10; Hechos 8:25-38; Hechos 16:22-34; Proverbios 11:30; Mateo 10:18-20 y Lucas 4:18-21.

REFLEXIONES:

_____

_____

_____

_____

_____

_____

_____

_____

_____

_____

Respuestas:

1. Vida/ eterna
2. Fecundos, multiplíquense
3. Hagan discípulos
4. Enseñándoles
5. bautizándolos
6. Autoridad
7. Espíritu Santo
8. Conocimiento
9. Nueva criatura
10. Reconciliación
11. Embajadores

12. Serán
13. No
14. reino, cielos (Dios)
15. Milagros
16. 5.000
17. Creído
18. Oren, sin temor (valor)
19. Oído
20. Predique
21. Anuncian, bien (buenas, nuevas)
22. Noventa y nueve

GRUPOS DE EVANGELISMO EN CASA

Me convertí en un creyente en Jesús en 1978. En ese momento había un gran fluir del cristianismo gracias al impacto originado a lo largo y acho de toda la década de los 70's y comienzos del 80's de un movimiento cido como Movimiento de Renovación Carismática. Recuerdo que uno de los pilares fundamentales de dicho movimiento era su énfasis en volver a los principios básicos de la Iglesia Primitiva, tal como se registra el libro de los Hechos. Pues bien, durante los primeros años del movimiento, las iglesias involucradas en este fluir se enfocaron primordialmente en las señales, maravillas sobrenaturales y en proclamar que Jesús todavía estaba interesado en hacer milagros. La mayoría de congregaciones se reunían esencialmente para animar a los creyentes a experimentar a Dios de una manera sobrenatural. Sin embargo, a finales de la década de los 70's los cristianos comenzaron a cambiar el enfoque congregacional y comenzaron a reunirse en grupos más pequeños, sobre todo, en hogares. Ciertamente tomó varios años para que esto creciera. No obstante, hoy en día, la mayoría de iglesia evangélicas ya han adoptado en alguna medida el formato de los grupos pequeños en sus estructuras eclesiásticas.

Así las cosas, en el presente estudio exploraremos las razones por las cuales el reunirse en grupos pequeños es tan vital para que una iglesia tenga un desarrollo efectivo. En ese orden de ideas, daré algunas pautas sobre cómo hacer para que un grupo familiar (o iglesia en el hogar) funcione de una manera bíblica y exitosa.

1. **Hebreos 10:25**

   ¿Qué nos dice este versículo que no debemos hacer respecto al congregarnos, especialmente cuando vemos que el Día de nuestro Señor se acerca?

   Respuesta: no_____ de congregarnos...

   Por diversos motivos, a muchos cristianos realmente no les gusta abrir sus vidas, sobre todo a aquellos que no conocen muy bien. Sin embargo, no fuimos creados para estar solos, sino que nos necesitamos los unos a los otros, ya que aunque somos individuos únicos, Dios nos dotó con diferentes dones y talentos para el beneficio de todos.

2. **Proverbios 27:17**

   ¿Cómo se le denomina a ese proceso cuando hombres o mujeres permiten que sus vidas sean influidas y transformadas para bien por medio de relaciones genuina y sinceras?

   Respuesta:_____ _____ _____.

   Al visitar las familias para hacer milagros allí, Jesús mostró lo importante que son los hogares. Veamos algunos ejemplos:

3. **Mateo 8:14-15**

   ¿Qué le sucedió a la suegra e Pedro enferma luego de que este la visitara?

   Respuesta: Jesús le_____ _____, y la fiebre la dejó; y ella se levantó y le_____.

4. **Mateo 8:16**

   Esa misma noche vino gente de todas partes a la misma casa. ¿Qué milagros hizo Jesús con ellos?

   Respuesta: Jesús echó fuera_____ ___ _____, y _____ a todos los enfermos...

5. Marcos 2:1-12

Aquí se narra la historia de Jesús sanando a un paralítico que fue bajado por el techo por sus amigos. Según el versículo uno, ¿dónde estaba Jesús cuando le llevaron al paralítico para que lo sanara?

Respuesta: se oyó que estaba en_____.

6. Lucas 10:38-42

Jesús enseñó un principio en esta historia cuando visitó la casa de María y Marta. En lugar de utilizar la casa solo para las ocupaciones domésticas, ¿qué dijo Jesús en el verso 39 que era la cosa más importante y que María ya estaba haciendo?

Respuesta: que sentada a los pies del Señor,_____Su palabra.

Más adelante veremos en el libro de los Hechos que los primeros seguidores de Jesús habían aprendido una lección importante respecto a esta historia.

7. Lucas 19:5

En Lucas 19 encontramos la historia de Zaqueo. Jesús hizo lo que parecía imposible, al declararle algo especial a este despreciado y reconocido recaudador de impuestos. Esta declaración fue crucial para la conversión de Zaqueo. ¿Qué le dijo Jesús?

Respuesta: «Zaqueo, date prisa y desciende, porque hoy debo_____ _____ _____ _____».

8. Lucas 10:6-7

Jesús estaba enviando a sus discípulos a las ciudades a predicar y sanar a los enfermos. Para ello, les dijo que se hospedaran en las casas donde fueran bien recibidos. ¿Qué les dijo Jesús respecto a la clase de salario que merecían recibir?

Respuesta:_____ y _____ lo que les den.

9. Lucas 10:2

Jesús hizo una petición justo antes de enviar a los 70 discípulos a los hogares a proclamar Su reino. ¿Qué palabra clave en este versículo conecta a los discípulos con la cosecha?

Respuesta:_____ por tanto, al Señor de la cosecha...

Rogar significa orar fervientemente y clamar para que se envíen obreros a la mies. En el siguiente estudio veremos los diferentes aspectos en los que se compara a la Iglesia con el cuerpo humano.

10. Efesios 4:16

Para que el cuerpo de Cristo funcione correctamente y se edifique en amor, ¿qué debe sucederle a cada individuo? ¿Debe aportar en conjunto o individualmente?

Respuesta: conforme al_____ _____de cada miembro.

La mejor manera como el Cuerpo de Cristo funciona correctamente en el hogar o en grupos pequeños. En Hechos 2: 42-47 vemos que una de las primeras cosas que aprendieron los primeros convertidos fue a reunirse en los hogares.

11. Hechos 2:42

¿Cuáles eran esas cuatro cosas a las que continuamente se dedicaban los nuevos convertidos?

Respuesta: Y se dedicaban continuamente a las_____de los apóstoles, a la_____, al partimiento del _____ y a la _____.

12. Hechos 2:47

¿Qué otra cosa más se hacía con regularidad en los hogares?

Respuesta:_____ _____ _____y hallando favor con todo el pueblo.

13. Hechos 2:44-45

Los primeros creyentes que se reunían en los hogares desarrollaron rápidamente un vínculo de confianza muy fuerte. ¿Qué comenzaron a hacer con sus propiedades y posesiones?

Respuesta:_____todas sus propiedades y sus bienes y los_____con todos, según la necesidad de cada uno.

¡Wow! ¡Qué profunda y maravillosa confianza, amor y compromiso se demostraban estos nuevos cristianos!
Ahora echemos un vistazo a los frutos que produjeron el que estos primeros discípulos de la Iglesia se reunieran en los hogares.

14. Hechos 2:43

Según este versículo ¿cuáles fueron los dos resultados de reunirse en los hogares?

Respuesta: Sobrevino_____ a toda persona; y muchos_____y _____ se hacían por los apóstoles.

15. Hechos 2:47

¿Cuál fue la reacción de la gente?

Respuesta: y hallando_____con todo el pueblo.

16. Hechos 2:47

¿Qué hecho asombroso hacía diariamente Dios en medio de ellos?

Respuesta: Y el Señor_____cada día al número de ellos los que iban siendo salvos.

17. Hechos 5:42

Por lo general, ¿cuáles eran esos dos lugares donde los apóstoles y discípulos se reunían para predicar y enseñar acerca de Jesús?

Respuesta: en el_____y de _____ _____ _____.

18. 1. Corintios 16:19

Una pareja de esposos llamados Aquila y Priscila se muestran agradecidos aquí. ¿Dónde se hallaba situada su iglesia?

Respuesta: ...en su _____.

Los apóstoles honraron en varios otros lugares las iglesias que se reunían en los hogares. Los fuertes lazos que se formaban en la Iglesia Primitiva se convirtió luego en el modelo a seguir en todo el Nuevo Testamento.

A continuación, les dejo algunas escrituras adicionales para que escriban sus reflexiones sobre lo significativo y poderoso que fueron los hogares en el desarrollo temprano de la vida cristiana en la Iglesia Primitiva: Filemón 1:2; Romanos 16:3-5; 2 Timoteo 4:19; Hechos 10:1-48; Hechos 12:3-17.

REFLEXIONES:

_____

_____

_____

_____

_____

_____

_____

_____

_____

_____

_____

_____

_____

_____

_____

_____

_____

_____

_____

_____

_____

_____

_____

_____

_____

_____

_____

_____

_____

_____

_____

_____

_____

Respuestas:

1. Dejando
2. Hierro con hierro
3. Tocó la mano (sanó), servía
4. A los demonios, sanó
5. Casa
6. Escuchando
7. Quedarme en tu casa
8. Comiendo, bebiendo
9. Rueguen
10. Funcionamiento adecuado
11. Enseñanza, comunión, pan, oración
12. Alabando a Dios
13. Vendía, compartían
14. Temor, prodigios, señales
15. Favor
16. Añadía
17. Templo, casa en casa
18. Casa

DONES DEL ESPÍRITU SANTO

En este estudio aprenderemos principalmente acerca de los nueve dones del Espíritu Santo y cómo estos se aplican a nosotros como creyentes en Jesús.

En el estudio anterior vimos el papel del Espíritu Santo y su bautismo sobrenatural en el creyente. Aprendimos que este Ser maravilloso no es algo a lo que debamos tenerle miedo, sino que, como la tercera persona de la Trinidad, es «Alguien» que todo lo sabe.

1. **Juan 14:16**

   ¿Cuál es la palabra que se usa en este versículo para describir el rol del Espíritu Santo, en relación que estará con nosotros para siempre?

   Respuesta: y Él les dará otro_____.

   Es indudable que necesitemos ser asistidos si deseamos tener una vida cristiana exitosa. De modo que no es de extrañar que al Espíritu Santo se le dé este título tan apropiado.

2. **Hechos 2:39**

   Después de que uno se arrepiente y es bautizado en agua, ¿para quién dice aquí está disponible el Espíritu Santo?

   Respuesta: y para_____los que están lejos...

3. **1 Corintios 12:1**

   ¿Es correcto desconocer o ignorar los dones espirituales?

   Respuesta:_____.

4. **1 Corintios 14:1**

   El apóstol Pablo habló del amor por primera vez en este pasaje. Pero, además, ¿qué dijo acerca de la actitud que debemos tener hacia los dones espirituales?

   Respuesta: Procuren alcanzar el amor; pero también_____ _____los dones espirituales, sobre todo que profeticen.

   Es claro, pues, que no solo debemos aprender acerca de los dones espirituales, sino que también se nos exhorta a que los deseemos genuinamente. Por supuesto que debemos usarlos siempre para la gloria de Dios. Por cierto, hay nueve manifestaciones, o dones del Espíritu santo, sobre los que se nos instruye en Corintios 12.

5. **1 Corintios 12:8**

   ¿Cuáles son los primeros dos dones espirituales que se mencionan aquí?

   Respuesta: ...palabra de_____ por el Espíritu; a otro, palabra de_____.

6. 1 Reyes 3:28

Al final de esta historia que relata cómo el rey salomón dio instrucciones a fin de salvar la vida del bebé, ¿qué vio el pueblo que Dios había hecho para administrar justicia?

Respuesta: ...vieron que la _____ de Dios estaba en él para administrar justicia.

Note que se requirió el don especial de Dios de la sabiduría para ir más allá de la limitada capacidad humana y poder rescatar al niño y devolvérselo a su madre legítima.

La palabra de conocimiento es cuando Dios te revela algo acerca de una situación o persona de la que no tenías ninguna información o conocimiento previo a través de Su Espíritu Santo.

7. Juan 4:17-19

¿Qué pensó la mujer samaritana que era Jesús cuando este le dijo que ella había tenido cinco maridos y que el hombre con el que ahora estaba no era su esposo?

Respuesta: «Señor, me parece que Tú eres_____.

8. 1 Corintios 12:9

¿Cuáles son los dos siguientes dones del Espíritu Santo?

Respuesta: a otro,_____ por el mismo Espíritu; a otro, dones de_____por[c el único Espíritu...

El don de la fe es una medida adicional que se requiere para poder ir más allá de la fe que ya hemos desarrollado en nuestro diario caminar con Dios.

9. Romanos 4:18-21

En el versículo 21, ¿cuál era la condición del corazón de Abraham con respecto a su creencia en el nacimiento de un hijo en circunstancias aparentemente imposibles?

Respuesta: estando_____ _____de que lo que Dios había prometido, poderoso era también para cumplirlo.

Hay muchos ejemplos del don de sanidades, tanto en el Antiguo como el Nuevo Testamento. No obstante, he aquí solo un caso de los muchos que Jesús realizó.

10. Lucas 4:38-39

¿Qué hizo Jesús para sanar la fiebre altísima que tenía la suegra de Pedro?

Respuesta: Inclinándose sobre ella, Jesús_____la fiebre y la fiebre la dejó...

Es interesante notar cómo en la medida en que la gente creía, Jesús los sanaba.

11. 1 Corintios 12:10

¿Cuáles son los dos siguientes dones del Espíritu Santo?

Respuesta: a otro, poder de _____ a otro, _____.

Aunque en la Biblia hay muchos otros ejemplos de milagros realizados por Jesús, a continuación, veremos uno de sus más notables.

12. Mateo 14:15-21

Sin contar las mujeres y los niños, ¿cuántos hombre lograron ser alimentados con apenas cinco panes y dos peces?

Respuesta: _____.

Con respecto al don de profecía, es importante tener en cuenta que esta se basa sobre la predicción de eventos o sucesos que le ocurren a una persona, entre los que se incluye cambios en su carácter.

Hay muchos sucesos relacionados con la vida de Jesús que fueron profetizados en el Antiguo Testamento y que se cumplieron en el Nuevo Testamento. (Ver Isaías 9:6 para corrobora los majestuosos atributos divinos que fueron predichos acerca del nacimiento de Jesús). Sin embargo, veamos en qué consiste la profecía en relación a predecir el futuro de un cristiano en los Tiempos del Nuevo Testamento.

13. 1 Corintios 14:3

¿Cuáles son los tres principales resultados de profetizar a otro creyente en Cristo?

Respuesta: para_____, _____ y _____.

14. 1 Corintios 12:10

¿Cuál es el séptimo don del Espíritu Santo?

Respuesta: a otro, _____de espíritus...

Hemos aprendido que nuestra lucha no es contra sangre ni carne, sino contra fuerzas espirituales malignas como las mencionadas en la «Armadura de Dios» de Efesios 6. Como creyentes en Cristo tenemos que estar alertas de los espíritus engañadores.

15. 2 Timoteo 1:7

Para que no nos desvíe de nuestro caminar en fe ¿de qué espíritu debemos estar alerta?

Respuesta: Porque no nos ha dado Dios espíritu de _____/_____.

A veces solo tenemos que hablarle al espíritu demoniaco y nombrarlo por su nombre. Después tenemos que ordenarle con autoridad que se marche.

16. Marcos 5:9

¿Cómo dijo el demonio que se llamaba cuando Jesús le ordenó que lo hiciera?

Respuesta: «Me llamo _____», respondió, «porque somos muchos».

17. 1 Corintios 12:10

¿Cuáles son los dos dones restantes del Espíritu Santo?

Respuesta: a otro, diversas clases de_____, y a otro, _____de lenguas.

Aunque discutiremos acerca de los dos tipos de lenguas que existes, es menester definir a grandes rasgos en que consiste este don. El hablar en lenguas se define como la acción por la cual el Espíritu Santo habla a treves de usted en un idioma con el que no está familiarizado o en el que no podría comunicarse, incluso si se trata de un idioma utilizado por personas en alguna parte del mundo.

El primer tipo de lenguas se refiere a cuando oramos a Dios en un lenguaje exclusivamente espiritual (del Espíritu Santo).

18. 1 Corintios 14:2

En este caso, ¿a quién se le habla en lenguas?

Respuesta: Porque el que habla en lenguas[a] no habla a los hombres, sino a_____.

La segunda clase de lenguas se refiere a cuando un mensaje profético es dado a un individuo o grupo de personas.

19. 1 Corintios 14:6

¿Cuáles son las cuatro manifestaciones del Espíritu que pueden fluir en a través del don de lenguas, y que son dados por Dios a la gente?

Respuesta: ¿de qué provecho les seré a menos de que les hable por medio de_____, o de_____, o de _____, o de_____?

El último de los nueve dones del Espíritu es la interpretación de lenguas. Esto ocurre cuando alguien discierne o entiende, por el Espíritu santo que habita en él, lo que se habla por medio de las lenguas manifestadas. Para que esto ocurra, es necesario que otros estén presentes y necesiten saber la interpretación de lo que se está diciendo. Por otro lado, esta manifestación no es necesaria cuando se ora por uno mismo o por alguien que ya está familiarizado con la interpretación de lenguas y, por lo tanto, no requiere que otro le interprete.

20. 1 Corintios 14:13,16

Al darse una interpretación, ¿qué grupo de personas podrá decir «amén» cuando dan las gracias en lenguas?

Respuesta: Los que_____ _____ ___ _____.

Otro término para el hablar en leguas es «orar en el Espíritu, tal como se menciona en 1 Corintios 14:15.

21. Judas 1:20-21

¿Cuáles son los dos beneficios de «orar en lenguas»?

Respuesta: Pero ustedes, amados,_____ en su santísima fe, orando en el Espíritu Santo, consérvense en el _____de Dios...

22. 1 Corintios 14:15

¿Se puede cantar en lenguas (en el Espíritu Santo)?

Respuesta: _____.

23. 1 Corintios 14:39

Solo porque el asunto de las lenguas parece algo extraño, ¿se puede hacer de forma desordenada o se debería acallar a cualquiera que desee halar en lenguas?

Respuesta: _____.

24. 1 Corintios 14:40

Dado que el apóstol Pablo dice que debemos desear los dones espirituales y no prohibir a las personas el hablar en lenguas, ¿cuáles son los dos principios rectores a seguir para mantener la unidad de la Iglesia en lo referente a este tema?

Respuesta: Pero que todo se haga_____y con _____.

Como analizamos en el estudio anterior sobre el Espíritu Santo, al igual que en este, queda claro que cuando permitimos que Dios use al Espíritu Santo que ya está en nosotros, Él hará grandes y poderosas cosas.

Algunas referencias de concordancia para tus reflexiones son las siguientes: 1 Corintios 12:1-11; 1 Corintios 14:1-33; Romanos 8:26; Juan 11:1-46 y Marcos 16:17-18.

REFLEXIONES:

_____

_____

_____

_____

_____

_____

_____

_____

_____

_____

_____

_____

_____

_____

_____

_____

_____

_____

_____

_____

_____

_____

_____

Respuestas:

1. Consolador
2. Todos
3. No
4. Deseen ardientemente
5. Sabiduría, conocimiento
6. Sabiduría
7. Profeta
8. Fe, sanidad
9. Plenamente convencido
10. Reprendió
11. Milagros, profecías
12. 5.000

13. Edificación, exhortación, consolación
14. Discernimiento
15. Cobardía/temor
16. Legión
17. Lenguas, interpretación
18. A Dios
19. Revelación, conocimiento, profecía, enseñanza
20. No tienen el don
21. Edificación, amor
22. Sí
23. No
24. Decentemente, orden

LOS FRUTOS DEL ESPÍRITU SANTO

Acabamos de terminar el estudio sobre los nueve dones del Espíritu Santo y que tienen que ver principalmente con el poder sobrenatural de Dios moviéndose a través de nosotros como creyentes en Cristo. Sin embargo, es llamativo que Dios también tenga un número idéntico de los frutos de Su Espíritu, los cuales necesitamos desarrollar, a fin de que nos enorgullezcamos cuando veamos toda la magnificencia de estos dones fluir a través de nosotros. Con base en esto, nos centraremos en estudiar en qué consisten los nueve frutos del Espíritu Santo que se mencionan en Gálatas 5.

1. **Gálatas 5:22**

   ¿Cuáles son los dos primeros frutos del Espíritu Santo?

   Respuesta: Pero el fruto del Espíritu es_____, _____.

2. **1 Corintios 13:13**

   ¿Qué rango de importancia se le da al amor en el proceso del caminar cristiano, y que se dividen en tres atributos: fe, esperanza y amor?

   Respuesta: pero el_____de ellos es el amor.

   Si bien el amor es el título de otro de nuestros estudios, nunca sobra repetir que el amor no es meramente una emoción, sino un verbo que implica acción. Por eso Jesús constantemente mostró su amor por nosotros de una forma práctica en las Escrituras. Ahora bien, usted y yo pudiéramos pensar que Dios ya ha mostrado Su amor por nosotros a partir de innumerables experiencias personales, lo cual es cierto. No obstante, Su amor es algo que debemos recordar siempre, sobre todo, cuando nos hallamos abrumados por los dilemas cotidianos de esta vida.

3. **Romanos 5:8**

   ¿Qué hizo Cristo por nosotros para demostrarnos Su amor cuando aún éramos pecadores?

   Respuesta: Cristo_____ por nosotros.

4. **Salmos 16:11**

   ¿Dónde podemos hallar la plenitud del gozo de Dios?

   Respuesta: En tu_____ hay plenitud de gozo.

5. **Gálatas 5:22**

   ¿Cuáles son los siguientes dos frutos del Espíritu Santo?

   Respuesta:_____,_____.

La gente que no conoce al Señor ni su Palabra, por lo general les gusta hablar de lo maravilloso que sería tener «paz en el mundo», pues las personas realmente anhelan vivir en sociedades sin odios, guerras ni conflictos.

6. Juan 16:33

¿Dónde dijo Jesús que se encontraba la verdadera paz?

Respuesta: Estas cosas les he hablado para que en____ tengan paz.

La verdadera paz no se basa en las circunstancias, sino en cultivar una relación íntima con un Dios amoroso.

7. Hebreos 6:12

¿Por medio de cuáles dos cosas los cristianos heredamos las promesas de Dios?

Respuesta: Mediante la_____y la_____ heredan las promesas.

Si obtuviéramos todo inmediatamente después de pedirlo, nos faltaría la fe y la confianza respecto a lo que Dios está tratando desarrollar en nosotros y nos desviaríamos de Sus planes.

8. Santiago 1:3

¿Cuál es esa palabra similar a paciencia que se produce cuando nuestra fe es puesta a prueba?

Respuesta: Sabiendo que la prueba de su fe produce_____.

9. Santiago 1:4

¿Cuáles son esas tres cosas con las que somos recompensados cuando permitimos que la paciencia y la perseverancia funcionen al máximo en nosotros?

Respuesta: para que sean_____ y _____ sin que _____les falte.

10. Gálatas 5:22

¿Cuáles son los siguientes dos frutos del Espíritu Santo?

Respuesta:_____, _____.

La bondad muestra la gracia del carácter de Dios obrando a través de nosotros hacia los demás, aun cuando ellos (ni nosotros) lo merezcamos.

11. Romanos 2:4

Cuando reconocemos la bondad de Dios hacia nosotros como pecadores, ¿qué nos lleva este fruto a hacer?

Respuesta: ...la bondad de Dios te guía al_____.

La bondad es muchísimo más que Dios simplemente mostrando cualquiera de sus rasgos de carácter por medio de nosotros de manera activa. Sabemos que Dios es la Verdad, especialmente cuando esta es difícil de aceptar o cuando, nos redarguye y corrige. La bondad nos muestra más el lado misericordioso de Dios.

12. 2 Tesalonicenses 1:11

Para que nuestro Dios te considere digno de su llamamiento y cumpla todo deseo de bondad, ¿qué otra cosa debes desear?

Respuesta: La obra de_____ con_____.

13. Gálatas 5:22-23
¿Cuáles son los siguientes dos frutos del Espíritu Santo?

Respuesta:_____,_____.

La fidelidad encierra todas las características que tiene una persona con la que puedes contar; otra palabra para fidelidad es confiabilidad.

14. 1 Tesalonicenses 5:24
¿Cómo sabemos que Dios es fiel siempre?

Respuesta: porque Él dice que siempre_____ _____.

Si Dios dice que siempre hará lo que promete, entonces podemos tener la confianza de que Él cumplirá totalmente todo lo que nos ha prometido de acuerdo a Su perfecta voluntad.

15. 2 Timoteo 2:2
¿Por qué quiere Dios que confiemos sus principios a hombres fieles?

Respuesta: para que ellos también lo_____ _____ _____.

16. Mateo 5:5
¿Cuál es esa otra palabra para gentil que demuestra el carácter interno de alguien que, pudiendo responde con justa ira cuando es acusado falsamente, decide no hacerlo?

Respuesta: Bienaventurados los_____pues ellos heredarán la tierra.

17. Gálatas 5:23
¿Cuál es el noveno fruto del Espíritu Santo?

Respuesta:_____ _____.

18. Gálatas 5:24
Si realmente pertenecemos a Cristo, ¿qué tuvimos que haber hecho respecto a nuestras pasiones y deseos, las cuales se oponían violentamente a que carácter piadoso del Espíritu Santo floreciera dentro de nosotros?

Respuesta: han_____la carne.

Note que estas obras de la carne están en tiempo pasado.

19. Gálatas 5:19-21

Nombra las quince «obras de la carne» que se mencionan aquí y de las que se nos advierten que, si las practicamos, no heredaremos el reino de Dios.

Respuesta:_____,_____,_____,_____,_____,

_____,_____,_____,_____,_____,_____,

_____,_____,_____,_____.

20. Gálatas 5:16

¿Qué se nos exhorta a hacer si no queremos satisfacer los deseos de la carne?

Respuesta:_____por el _____.

21. Gálatas 5:14

¿Cuál debería ser nuestro enfoque para caminar victoriosamente en el Espíritu?

Respuesta: Deberás_____ a tu _____ como a ti mismo.

Una vez más vuelve a relucir el amor de Dios aquí. ¿Por qué? Si realmente deseamos enseñar a otros acerca de Dios y Sus caminos, no podemos simplemente mostrar Su poder; es menester demostrar que tenemos los frutos del Espíritu Santo. De lo contrario, no solo terminaremos involucrados en situaciones lamentables, sino que también lastimaremos a otros.

22. Tito 1:7

Si uno desea ser obispo ¿qué es lo primero que se menciona que debemos ser como mayordomos de Dios?

Respuesta: Debe ser_____ como administrador de Dios.

Si en verdad queremos caminar en el Espíritu, debemos dejar que Dios desarrolle en nosotros íntegramente los frutos de Su Espíritu. Solo así, podremos tener una relación genuina con Él.

A continuación, dejo algunas referencias de consulta para tus reflexiones: Filipenses 4:4; Nehemías 8:10; 1 Pedro 3:4 y Mateo 5:3-12.

REFLEXIONES:

_____

_____

_____

_____

_____

69

_____

_____

_____

_____

_____

Respuestas:

1. Amor, gozo
2. Mayor
3. Murió
4. Presencia
5. Paz, paciencia
6. Mí
7. Fe, paciencia
8. Paciencia (Perseverancia)
9. Perfectos (maduros), completos, nada
10. Benignidad, bondad
11. Arrepentimiento
12. Fe, poder

13. Fidelidad, mansedumbre
14. Lo será
15. Enseñen a otros
16. Humildes
17. Dominio propio
18. Crucificado
19. inmoralidad, impureza, sensualidad, idolatría, hechicería, enemistades, pleitos, celos, enojos, rivalidades, disensiones, sectarismos, envidias, borracheras, orgías
20. Andad, el Espíritu
21. Amar, prójimo
22. Irreprensible

EL AMOR DE DIOS

El amor de Dios es un gran tema para discutir. Y al igual que hicimos con el tema de la salvación, la idea es que este estudio veamos qué es el amor de Dios y qué cosa no lo es. Las preguntas de reflexión incluyen los siguientes tópicos: ¿Podemos ir al cielo sin siquiera creer en Dios? ¿Podemos disfrutar de la vida eterna sin haber caminado en el amor de Dios? ¿Podemos existir sin el amor de Dios?

Aunque la intención es responder estas preguntas y muchas más, lo más probable es que solo lo hagamos de forma superficial, por lo denso y profundo de este asombroso tema. Por lo tanto, a medida que avancemos en el estudio, toma nota de tus inquietudes o intuiciones al respecto, ya que eso le ayudará enormemente a la escritura de su ensayo al final del capítulo.

Comencemos definiendo los tres principales tipos de amor que existen. El primero involucra nuestros sentimientos o emociones.

1. Santiago 4:2

¿Cuál es el nombre asignado aquí que hace que nuestros deseos se desenfrenen hasta hacernos volver a los antiguos hábitos de nuestra vieja naturaleza pecaminosa con la que todos nacimos?

Respuesta: Ustedes_____y no tienen...

Seamos claros en algo: desear sexualmente a tu esposa o esposo no es pecado. Pero si codicias sexualmente a alguien que no es tu pareja, entonces ten cuidado, porque eso sí es un pecado grave. Por cierto, también es posible que tengas deseos lujuriosos o codicies algo de forma egoísta. Si es así, eso quiere decir que realmente amas esas cosas. ¿Estarías dispuesto a compartir algo en ese sentido si Dios así te guiara?

2. Mateo 10:37

El segundo tipo de amor involucra aquellos sentimientos y acciones que experimentamos el uno hacia el otro, ya sean hacia nuestras amistades, miembros de la familia o hermanos en la fe.
¿Cuáles son esos cuatros miembros de la familia que Jesús nos dijo no deberíamos amar más que a Él?

Respuesta:_____, _____, _____, _____.

Este tipo de amor es de donde sacamos la raíz de la palabra Filadelfia, cuyo significado es amar con intereses en común. Es ese cuidado que le brindamos a alguien desde el amor filial, desde una relación de amistad. La tercera clase de amor es el de Dios, el cual proviene del griego Ágape. No se trata realmente de una emoción, sino más bien de una decisión que puede ser un verbo o un sustantivo. Es un acto de entrega determinado por Dios (no por el destinatario) ya que es considerado por Él como el amor más digno que alguien puede recibir. (Diccionario de Noah Webster de 1828)

3. 1 Juan 4:10

En este verso vemos cómo Dios inicia este acto de amor. ¿Qué hizo Dios para demostrar esta clase de amor?

Respuestas: y envió a Su_____ como propiciación por nuestros pecados.

Propiciación significa apaciguar o sustituir nuestros pecados para que podamos convertirnos en hijos suyos.

4. **1 Juan 4:7**

¿Podemos, como cristianos, amarnos unos a otros con esta clase de amor ágape?

Respuesta:_____.

5. **1 Juan 4:7**

¿Por qué podemos amarnos unos a otros de esta manera?

Respuesta: y todo el que ama es_____ de Dios

Si bien el amor, como verbo activo, es una decisión, este debe generar emoción en nosotros pues demuestra la compasión que Dios nos tiene. Este tipo de amor producirá toda clase de respuestas en nosotros, como veremos en el resto de este estudio.

6. **1 Juan 4:8**

El amor de Dios es una acción, pero ¿es también Su amor un sustantivo?

Respuesta:_____.

El amor de Dios tiene muchos atributos y características. Echemos un vistazo a algunas de estas increíbles descripciones de Dios.

7. **Gálatas 5:22**

¿Cómo se describe el amor?

Respuesta: Un_____ del Espíritu.

El fruto es una manifestación del carácter de Dios que nosotros estamos llamados a desarrollar como cristianos.

8. **1 Juan 4:7-8**

Ahora que sabemos que Dios es amor ágape, ¿qué más atributos descubrimos en aquellos que realmente aman a Dios?

Respuesta: y todo el que ama es nacido de Dios y_____a Dios.

Esto revela que amar a Dios es, en realidad, tener intimidad con Él.

9. **Juan 17:3**

¿Cuál es la expresión que Jesús usa en tiempo presente para describir el conocer a Dios y a Jesucristo?

Respuesta: Y esta es la_____ _____.

Recuerdo una popular canción para niños que cantamos en la escuela dominical llamada «Cristo me ama». Si puedes, tararea solo la primera línea que dice «Cristo me ama bien LO SÉ. Su palabra me hace ver». ¡Oh, Dios! Ayúdanos a creer en esta clase de amor.

10. Mateo 22:37-39

Jesús dijo que los dos mandamientos más importantes de toda la Biblia eran amar a una persona y a un grupo de personas. Luego siguió diciendo que, si hacemos esto de forma exitosa, podremos cumplir los demás mandamientos. ¿Quién es esta persona y cuál es ese grupo de personas que debemos amar?

Respuesta: «AMARÁS AL_____ TU DIOS; AMARÁS A TU_____ COMO A TI MISMO...»

Note que se trata de un mandamiento, es decir, que no se trata de algo opcional para nosotros como cristianos.

11. Juan 14:15

Inmediatamente después de que Jesús hace una maravillosa promesa en el verso 14 (Si me piden algo en Mi nombre, Yo lo haré) nos recuerda que, si realmente queremos demostrarle nuestro amor, ¿qué cosa importante haríamos?

Respuesta:_____ Sus mandamientos.

12. 1 Juan 3:10

Jesús dice en varios pasajes de las Escrituras que debemos amarnos los unos a los otros. ¿Cómo dice Él que se llama esa persona que no ama a su hermano?

Respuesta: Esta persona es un hijo del_____.

13. Lucas 6:27

¿Qué otra clase de personas nos manda Dios a amar?

Respuesta: amen a sus_____; hagan bien a los que los aborrecen...

Amar también tiene su recompensa. Históricamente se ha dicho que Juan fue el único de los 12 apóstoles que no sufrió el martirio. También a él se le dio la recompensa de ser el autor del libro de Apocalipsis. Por otro lado, María, la madre de Jesús, y María Magdalena fueron las primeras en ver a Jesús luego de Su resurrección. ¿Por qué? Solo ellas estuvieron en el Calvario en el momento de la crucifixión de Jesús, ya que los demás discípulos habían huidos asustados. En otras palabras, solo Juan y María estuvieron dispuestos a morir, ya que habían experimentado el amor de Dios de una manera muy personal.

14. Apocalipsis 12:11

Este testimonio del amor de Dios se convirtió en un poderoso y motivador título conocido como «vencedores», el cual se les dará a los «cristianos de los últimos tiempos». ¿Qué estarán dispuestos a hacer estos vencedores respecto a amar sus propias vidas?

Respuesta: y no amaron sus vidas, llegando hasta sufrir la_____.

15. 1 Juan 3:17-18

Esta clase de amor debería impulsarnos a la acción, en lugar de simplemente estar hablando del amor de Dios. ¿Cómo deberíamos demostrar el amor de Dios?

Respuesta: sino de_____ y en verdad.

16. Juan 15:15

Debido a que el amor de Dios se expresó en lo que Jesús hizo por nosotros, ¿qué término nuevo usa Dios para definir Su relación con nosotros?

Respuesta: pero los he llamado_____.

17. 1 Juan 4:18

¿Qué es lo que, en definitiva, no se encuentra en el amor?

Respuesta: En el amor no hay_____.

18. 1 Juan 4:18

Dado que el temor implica castigo, ¿qué le hace el perfecto amor al temor?

Respuesta: El perfecto amor_____ _____el temor.

Cuando creemos realmente en el amor de Dios, no actuaremos con temor ni le daremos importancia a las circunstancias. No obstante, debemos saber que esto no siempre es una tarea fácil. Aun así, pídele a Dios Su gracia para hacerlo y Él lo hará.

Ahora veamos 1 Corintios 13, comúnmente llamado en la Biblia como el capítulo del amor.

19. 1 Corintios 13:2

En relación a la importancia de demostrar el amor, ¿qué dice que somos si tengamos fe incluso para mover montañas, pero no tenemos amor?

Respuesta:_____soy.

Ahora veamos qué cosa sí es y no es amor, así como las cosas que hace y no hace el verdadero amor.

20. 1 Corintios 13:4-8

Simplemente completa los espacios en blanco y, al mismo tiempo, reflexiona sobre esta hermosa interpretación de la sabiduría de Dios respecto al amor:

Respuesta: El amor es_____, es_____. El amor no tiene_____el amor no es_____, no es _____. No se porta_____; no busca lo_____, no se_____, no toma en cuenta el mal _____. El amor no se regocija de la _____, sino que se alegra con la_____. Todo lo_____], todo lo_____, todo lo_____, todo lo_____. El amor nunca deja de_____.

21. 1 Corintios 13:13

El apóstol Pablo resume el caminar cristiano en tres atributos principales: fe, esperanza y amor. Pero, ¿qué rango le dio al atributo del amor?

Respuesta: pero el_____ de ellos es el amor.

Quiero terminar este estudio con uno de mis versículos favoritos de la Biblia. Dios nos muestra Su amor en este versículo con un acto, el cual, va mucho más allá de las palabras con las que Él explica Su asombrosa gracia.

22. Juan 3:16

¿Qué hizo Dios con respecto a Su Hijo, a fin de crear una oportunidad para que cada uno de nosotros tuviera vida eterna en Él?

Respuesta: que_____ a Su Hijo unigénito...

Aunque hay muchas más escrituras e historias en la Biblia que demuestran el amor de Dios, quiero dejarle algunas para que comiences a elaborar tus reflexiones: Romanos 5:5; 1 Juan 2:15-17; 1 Pedro 1:8; Lucas 10:30-37 (Buen Samaritano), y Lucas 15:11-32 (Hijo pródigo).

REFLEXIONES:

_____

_____

_____

_____

_____

_____

_____

_____

_____

_____

_____

_____

_____

_____

_____

_____

_____

_____

_____

_____

_____

_____

_____

_____

_____

_____

Respuestas:

1. Codician (desean)
2. Padre, madre, hijo, hija
3. Hijo
4. Sí
5. Nacido
6. Sí
7. Fruto
8. Conoce
9. Vida eterna
10. Señor, Prójimo
11. Guardarán
12. Diablo

13. Enemigos
14. Muerte
15. Hecho
16. Amigos
17. Temor
18. Echa fuera
19. Nada
20. Paciente, bondadoso, envidia, jactancioso, arrogante, indecorosamen-te, suyo, irrita, recibido, injusticia, verdad, sufre, cree, espera, soporta, ser
21. Mayor
22. Dio

JUSTICIA Y FE

La justicia y la fe son dos temas que van de la mano. Al estudiarlos juntos también podemos tener una mejor comprensión de cómo funciona cada uno de forma individual.

Vayamos directamente a nuestro pasaje bíblico principal sobre el tema de la Justicia:

1. **2 Corintios 5:21**

   ¿Cómo llegamos a ser justos?

   Respuesta: Al que no conoció pecado, lo hizo_____ por nosotros.

2. **2 Corintios 5:21**

   ¿Somos todos justificados automáticamente, solo porque Jesús se hizo pecado por nosotros?

   Respuesta:_____para que_____ hechos justicia de Dios en Él.

3. **2 Corintios 5:21**

   Entonces, ¿quién o cuál es la fuente de nuestra justicia?

   Respuesta: para que fuéramos hechos justicia de Dios en___ (_____).

   ¿En qué consiste exactamente la justicia? Una de las definiciones que da el Diccionario de Noah Webster sobre justicia es la siguiente: «Conformidad de corazón a la ley divina». Por su parte, el Diccionario de la lengua española en una de sus acepciones para justicia dice que justicia es: «una de las cuatro virtudes cardinales, que consiste en la constante y firme voluntad de dar a Dios y al prójimo lo que les es debido».

   La humanidad, sin embargo, como vimos en el estudio sobre la Salvación, nunca ha podido guardar las leyes divinas ni darle a Dios lo debido. Fue por ese motivo, que el Padre envió a Su Hijo a sacrificarse a Sí mismo para que pudiéramos llegar a ser justificados. Una definición simplificada para justicia podría ser: «Tener una posición correcta o perfecta ante Dios».

4. **Romanos 3:10**

   ¿Puede alguien considerarse justo ante Dios, aparte del sacrificio de Jesús en la cruz como provisión para nuestra justificación?

   Respuesta:_____.

   Pero, a pesar de que no hay ningún justo en comparación con la perfección de Dios, vemos que, tanto en el Antiguo como en el Nuevo testamento, hubo personas que realizaron hechos o actos de justicia. No obstante, en ese contexto solo se refiere hacer lo correcto desde una perspectiva moral o ética.

5. **Salmos 1:5**

   ¿Cuál es ese otro nombre que se le da al pueblo de Dios?

   Respuesta: La_____ de los _____.

6. **Proverbios 14:34**

   ¿Qué le sucede a una nación que es gobernada a partir de leyes justas?

   Respuesta: La justicia_____a la nación, Pero el pecado es afrenta para los pueblos.

7. **Salmos 89:14**

   ¿Qué palabra poderosa y aleccionadora usa Dios para describir la rectitud y la justicia?

   Respuesta: La justicia y el derecho son el_____de Tu trono...

8. **Santiago 5:16**

   ¿Qué tanto puede lograr la oración de una persona justa?

   Respuesta: La oración eficaz del justo puede lograr_____.

   En la medida que Dios nos considere justos tendremos la capacidad de hacer grandes cosas. ¡Qué maravilloso privilegio! Ciertamente podemos hacer grandes cosas, pues la sangre de Cristo ya nos hizo justos.

9. **Santiago 1:20**

   ¿Puede la ira del hombre hacer operar la justicia de Dios?

   Respuesta:_____.

10. **Hebreos 12:11**

    ¿Qué tipo de frutos se obtienen cuando permitimos que Dios nos discipline?

    Respuesta: después les da fruto _____de_____.

11. **Efesios 6:14**

    ¿Qué parte de la Armadura de Dios se usa para aplicar Su Justicia?

    Respuesta: REVESTIDOS CON LA_____ DE LA JUSTICIA...

    La coraza cubre el área del corazón y otros órganos vitales. Al comienzo de este estudio mencionamos que la justicia y la fe van de la mano. Curiosamente, el corazón tiene una estrecha conexión con estos dos fundamentos.

12. **Romanos 10:10**

    ¿Qué tiene que hacer una persona con su corazón para obtener la justicia de Dios?

    Respuesta: Porque con el corazón se_____para justicia.

    Aquí vemos claramente cómo la fe y la justicia son dos temas íntimamente ligados. Por lo tanto, necesitamos abordar seriamente la pregunta de si ¿tenemos realmente fe?, ¿de qué se trata la fe y cómo se desarrolla? ¿Tenemos realmente fe?

13. 2 Tesalonicenses 3:2

¿Tienen todas las personas fe?

Respuesta:_____.

14. Romanos 12:3

¿Tienen fe todos los cristianos?

Respuesta:_____.

Quienes somos seguidores de Jesús tenemos fe porque Dios habita dentro de nosotros. Esto es lo que nos conecta con Él y lo que nos permite experimentarlo por medio de la fe. Pero, ¿qué es exactamente la fe?

15. Hebreos 11:1

¿Cómo se define la fe en relación con la esperanza?

Respuesta: La fe es la_____ de lo que se espera...

16. Hebreos 11:1

¿Cómo se define la fe en relación con las cosas invisibles?

Respuesta: la_____ de lo que no se ve.

Al usar palabras como seguridad, certeza, convicción y evidencia, queda claro que la fe es, incluso, mucho más real que aquellas cosas que no podemos ver. La fe fue el fundamento sobre el que Jesús pasó mucho tiempo enseñando y también comentando cuando observó que esta faltaba.

17. Hebreos 11:6

Sin fe, ¿qué es imposible hacer?

Respuesta: Sin fe es imposible_____ a Dios.

No obstante, tenemos la tendencia a dudar, quejarnos y temer cuando nos enfrentamos a cualquier tipo de desafíos o circunstancias complejas.

18. Marcos 11:24

¿En qué momento debes creer que has recibido la respuesta a tu oración mientras estás orando?

Respuesta: cuando oren crean que_____ las han recibido, y les serán concedidas.

No siempre es fácil creer que has obtenido respuesta a tus oraciones, pues tenemos la tendencia a creer que algo sucederá solo cuando lo veamos. Un claro ejemplo de esto es la historia del «dudoso Tomás»

19. Juan 20:24-29

¿Qué dijo Jesús en el versículo 29 que mostró fe con respecto a ver algo de tus ojos y creerlo?

Respuesta: «...Dichosos_____ _____no vieron, y sin embargo creyeron».

Ahora hablemos de cómo se desarrolla nuestra fe. Hay ciertos ejercicios espirituales que podemos hacer para desarrollar nuestra fe del mismo modo que puedes hacer algunos ejercicios físicos para fortalecer tu cuerpo.

20. Romanos 10:17

¿Cómo nos «llega» la fe? (Versión Reina Valera).

Respuesta: Así que la fe es por el oír, y____ _____, por la _____de Dios.

Jesús tenía un dicho popular que se refería a escuchar espiritualmente: «El que tiene oídos para oír, oiga» (Mateo 13:9). Sin embargo, a veces parece que no tenemos la suficiente fe para creer en las cosas. Así que pensemos qué podríamos hacer, a fin de escuchar espiritualmente con mayor eficacia.

21. Filemón 1:6 (Versión Reina Valera 1960)

Para que el compartir acerca de nuestra fe sea eficaz, ¿qué debemos hacer con respecto a toda cosa buena que hay en nosotros? (También vimos este mismo principio en el estudio de la Gran Comisión).

Respuesta: en el_____ de todo el bien...

En un sentido práctico, conocemos mejor algo cuando hablamos de esta o la confirmamos con nuestras palabras. Este es el porqué debemos memorizar la Palabra de Dios y recitarla en voz alta. Al fin de cuentas, Dios creó el mundo entero con palabras de fe cuando dijo: «Hágase la luz, las plantas, los animales y el ser humano».

22. Mateo 8:5-10

¿Qué dijo Jesús sobre la cantidad de fe que vio en la declaración del centurión romano?

Respuesta: «En verdad les digo que en Israel no he hallado en nadie una____ _____ _____.

Podemos ver claramente que el centurión entendió el poder de las palabras y cómo estas se relacionan con la fe.

Toda la Biblia está llena de historias de fe, y aquí les dejo algunos ejemplos para que redactes tus reflexiones: Marcos 11:22-24; Mateo 14:22-33; Hebreos 11:1-40 y Hebreos 6:12.

REFLEXIONES:

_____

_____

_____

_____

_____

_____

_____

_____

_____

_____

_____

_____

Respuestas:

1. Pecado

2. No, fuéramos

3. Él, (Jesús)

4. No

5. Congregación, justos

6. Engrandece

7. Fundamento

8. Mucho

9. No

10. Apacible, justicia

11. Coraza

12. Cree

13. No

14. Sí

15. Certeza

16. Convicción

17. Agradar

18. Ya

19. Los que

20. El oír, palabra

21. Conocimiento

22. Fe tan grande

LA IGLESIA: El Cuerpo de Cristo

En este estudio analizaremos muchas de las características de lo que comúnmente conocemos como «La Iglesia». Aunque existen muchos precursores simbólicos en el Antiguo Testamento y una serie de nombres metafóricos para describir a la Iglesia en el Nuevo Testamento, es importante que estudiemos cuáles son algunas de las funciones tutelares, dones y los llamados asociados a la Iglesia.

Lo primero que viene a la mente cuando la mayoría de las personas escuchan la palabra «Iglesia» es que se trata de algún tipo de edificio donde la gente se reúne para celebrar un servicio religioso.

1. 1 Pedro 2:5

¿Cómo nos describe Dios y qué tipo de casa se nos dice que somos como resultado a esa descripción?

Respuesta: también ustedes, como piedras_____, sean edificados como casa _____...

Con esto podemos ver claramente que somos una casa espiritual viva, es decir, mucho más que un simple edificio físico. No obstante, aún hay mucho más por desentrañar respecto al plan maravilloso de Dios para la Iglesia.

En el Antiguo Testamento se daba un gran énfasis a los lugares de asamblea donde la gente se reunía para adorar, hasta que finalmente se construyó un hermoso templo, el cual fue una asombrosa estructura arquitectónica.

2. 1 Reyes 8:20-24

¿Qué rey construyó y dedicó el templo más hermoso que Israel haya podido construir para adorar en él?

Respuesta:_____.

3. 1 Reyes 8:27

¿Dijo el rey Salomón que este templo podía contener a Dios?

Respuesta:_____.

4. 1 Corintios 6:19-20

Al igual que el Templo de Salomón era considerado profundamente santo, ¿cómo es llamado el cuerpo físico de cada seguidor de Jesús?

Respuesta: su cuerpo es_____ del Espíritu Santo.

Qué maravilloso es que se nos considere como «templos santos» para Dios.

5. Mateo 16:18

¿Cuál fue el nombre con el que Jesús describió al pueblo de Dios en un contexto espiritual que no se había usado nunca?

Respuesta: y sobre esta roca edificaré Mi_____; y las puertas del Hades[c] no prevalecerán contra ella.

La palabra griega para iglesia es «ekklesia», la cual era un término con el que era descrito aquel grupo de personas nombradas por los romanos para llevar a cabo los designios de Roma. Sin embargo, Jesús le dio un nuevo uso a esa palabra, al declarar que Sus seguidores serían quienes llevaran a cabo la autoridad espiritual en Su Nombre, a fin de establecer un reino que no sería militar. Esta nueva entidad llamada «Iglesia» era tan poderosa que, incluso, Jesús se atrevió a afirmar que ni las puertas del hades lograrían prevalecer sobre ella.

6. **Efesios 1:22-23**

   ¿Con qué otro nombre Jesús llama a Su Iglesia?

   Respuesta: la cual es Su_____, la plenitud de Aquel que lo llena todo en todo.

7. **Efesios 4:15**

   ¿Quién es la cabeza de la Iglesia?

   Respuesta:_____.

   Hay muchas escrituras que comparan la Iglesia con un cuerpo humano.

8. **1 Corintios 12:14**

   ¿Hay pocos o muchos miembros en el cuerpo de Dios?

   Respuesta:_____.

   En el anterior estudio sobre «Los dones del Espíritu Santo» aprendimos que en este mismo capítulo 12 hay muchos dones. Sin embargo, ahora vemos aquí que también hay muchos miembros.

9. **1 Corintios 12:18**

   ¿Quién decide dónde encajan las personas en Su cuerpo?

   Respuesta: Ahora bien,_____ha colocado a cada uno de los miembros...

10. **1 Corintios 12:20**

    Aunque hay muchos miembros, ¿cuántos cuerpos hay?

    Respuesta:_____.

11. **1 Corintios 12:25**

    ¿Qué ayudamos a obtener en cuanto a la unidad del cuerpo cuando cada uno de nosotros nos humillamos u honramos a aquellos a quienes consideramos más débiles o menos útiles?

    Respuesta: a fin de que en el cuerpo no haya_____.

    Entender el rol que tiene cada miembro para el cuerpo es sumamente importante. Esto nos ayuda a no molestarnos cuando alguien es llamado a ocupar un cargo de liderazgo en la Iglesia, pues comprendemos que todos tenemos el mismo valor ante los ojos de Dios.

Ahora veamos algunos de los diferentes tipos de ministerios, dones y llamados que hay en la Iglesia de Cristo. El primer grupo son los ministerios de liderazgo. Aunque no son los únicos tipos de liderazgo que existen, sí son los que ayudan a que el cuerpo funcione correctamente.

12. Efesios 4:11

¿Cuáles son los cinco dones ministeriales con los que Dios dotó al cuerpo?

Respuesta:_____, _____, _____, _____,_____.

Tomemos cada uno de estos, a los que con frecuencia se les conoce como «Ministerio quíntuple», y asignémosle una referencia bíblica a cada uno, a fin de mostrar individualmente una característica de cada don. Aunque ciertamente cada persona puede tener más de un don, para una comprensión más detallada de cada uno de ellos, recomiendo que más tarde haga su propia indagación al respecto y comente sobre ello en su ensayo sobre este estudio.

13. 1 Corintios 3:10

Sabemos que los apóstoles predicaron, realizaron milagros y sentaron las bases para el comienzo de nuevas iglesias. ¿Qué descripción sobre este don se le dio al apóstol Pablo?

Respuesta: yo, como_____ _____, puse el fundamento...

14. Efesios 2:20

Además de los apóstoles, ¿cuál fue el otro don ministerial que estableció los cimientos de la Iglesia para ayudarla a funcionar de acuerdo a su diseño?

Respuesta: Están edificados sobre el fundamento de los apóstoles y _____.

Aprendimos en el estudio sobre los «dones del Espíritu Santo» que aunque todos pueden profetizar, un profeta de oficio en la Iglesia, es aquel que tiene un liderazgo consolidado y comprobado y un ministerio que ayuda a proveer dirección a la Iglesia. Es decir, es alguien que trabaja en estrecha relación con los apóstoles con la finalidad de establecer un fundamento bíblico sólido.

15. Hechos 8:5-6

¿Cuáles fueron las dos características que certificaron que Felipe era un evangelista?

Respuesta: les_____ a Cristo. Y las multitudes unánimes prestaban atención a lo que Felipe decía, al oír y ver las _____ que hacía.

16. Juan 21:16

En el conmovedor encuentro entre Jesús y el apóstol Pedro, ¿qué le pide Jesús a este que haga como pastor, además de su rol como apóstol?

Respuesta: Jesús le dijo: «_____Mis ovejas».

Un pastor atiende al rebaño, lo guía y lo cuida; además, tiene un don de consejería. El pastor tiene un corazón paternal.

Por cierto, Pablo dijo que había una escasez de padres con corazón pastoral en 1 Cor. 4:15. Aunque el especialísimo ministerio de la enseñanza se menciona como un don del «Ministerio quíntuple», es de suponer que todos debemos estar aprendiendo constantemente para poder cumplir con la Gran Comisión de «hacer discípulos en todas las naciones».

17. 2 Timoteo 2:2

¿Qué le dijo el apóstol Pablo a Timoteo que hiciera con aquello que él le había enseñado?

Respuesta: eso encarga a hombres_____que sean capaces de enseñar también a otros.

Los dones del «Ministerio quíntuple» no son solo para que nos sentemos y veamos a los ministros a hacer todo el trabajo. De ser así, todos nos convertiríamos en cristianos tibios y perezosos.

18. Efesios 4:12

¿Cuál es el trabajo más importante de estos dones ministeriales?

Respuesta: a fin de_____a los santos para la obra del_____.

19. Efesios 4:12

Como resultado ¿qué harán los santos por la Iglesia?

Respuesta: para la_____del cuerpo de Cristo...

20. Efesios 4:16

¿Cómo se mantiene unido todo el cuerpo para que funciones correctamente?

Respuesta. estando_____ _____.

Hay mucho que escudriñar en los versos 11 al 16 de Efesios 6. Por lo tanto, recomiendo encarecidamente que estudien este pasaje e incluyan sus propios hallazgos o inquietudes en el texto del ensayo.

21. 1 Corintios 12:28

Además de los dones del «Ministerio quíntuple», ¿qué otros dones se mencionan aquí?

Respuesta: luego,_____; después, dones de_____, _____, _____, diversas clases de _____.

Los apóstoles nombraron superintendentes, o comúnmente llamados obispos o ancianos, para velar por las iglesias.

22. 1 Timoteo 3:1-7

En esta descripción acerca de las cualidades de un obispo, ¿cuál es la primera cualidad que debe tener un obispo?

Respuesta: Un obispo debe ser, pues, _____.

23. Tito 1:5

¿Recibió Tito la instrucción del apóstol Pablo de nombrar solo un anciano en cada ciudad?

Respuesta:_____.

A lo largo de este estudios sobre la Iglesia como el cuerpo de Cristo, vimos que, aunque hay muchos miembros, todos tienen funciones importantes y que todos necesitan operar juntos. Así que es sumamente pertinente que haya un equipo de ancianos/supervisores trabajando juntos para obtener un discernimiento equilibrado y más preciso en cuanto a los propósitos y directrices para cada iglesia o congregación.

A continuación, les dejo algunas escrituras que le ayudarán a escribir tus reflexiones con relación al tema en cuestión: 1 Corintios 12:12-27; Efesios 3:10; Efesios 4:11-16; Tito 1:5-9; 1Timoteo 3:1-13 y Hechos 13:1-3.

REFLEXIONES:

_____

_____

_____

_____

_____

_____

_____

_____

_____

_____

_____

_____

_____

_____

_____

_____

_____

_____

_____

_____

_____

_____

_____

_____

_____

_____

Respuestas:

1. Vivas, espiritual
2. Salomón
3. No
4. Templo
5. Iglesia
6. Cuerpo
7. Cristo (Jesús)
8. Muchos
9. Dios
10. Uno
11. División
12. Apóstoles, profetas, evangelistas, pastores, maestros
13. Sabio arquitecto
14. Profetas
15. Predicaba, señales
16. Pastorea (apacienta)
17. Fieles
18. Capacitar, ministerio
19. Edificación
20. Bien ajustado
21. Milagros, sanidad, ayudas, administraciones, lenguas
22. Irreprochable
23. No

UNIDAD DE LA FE

La unidad es un tema sumamente importante para tener una acertada comprensión bíblica durante estos «últimos días» de los tiempos que estamos viviendo. Hay diferentes informes alrededor del mundo sobre cómo Satanás y sus fuerzas espirituales de las tinieblas están intentando ocasionar divisiones y conflictos en muchas áreas de la vida cotidiana.

En el siguiente estudio veremos la unidad de Dios en Sí mismo, la unidad de Dios con nosotros como creyentes individuales y la unidad corporativa de la Iglesia como Su pueblo. Estudiaremos que cuando practicamos la unidad de una forma correcta, entonces mostraremos el amor de Dios al mundo de una manera que este se interese más por Él. Ahora bien, ¿por qué es tan importante la unidad? Yo diría que por el énfasis que Jesús hizo en ella.

1. **Mateo 12:25**

   Para Jesús, ¿cuál era la causa principal por la que un reino, ciudad o casa no se mantendría en pie?

   Respuesta: «Todo reino_____contra sí mismo es asolado, y toda ciudad o casa dividida contra sí misma no se mantendrá en pie.

   En primer lugar, echemos un vistazo a cómo Dios es realmente una unidad en Sí mismo. Dios es un Ser compuesto por tres personas, o lo que conocemos un Ser trino.

2. **1 Juan 1:3**

   ¿Cuáles son las dos partes de la existencia de Dios, que demuestran que podemos tener comunión con cualquiera de ellas en igualdad de condiciones?

   Respuesta: En verdad nuestra comunión es con el_____y con Su _____ Jesucristo.

3. **Juan 4:24**

   ¿Cuál es el tercer sustantivo descriptivo que se le da a Dios?

   Respuesta: Dios es_____.

4. **Mateo 28:19**

   ¿En cuáles tres nombres recibieron los discípulos instrucciones de bautizar?

   Respuesta: bautizándolos en el nombre del_____y del _____ y del _____ _____.

5. **Hechos 2:38**

   ¿Cuál era el nombre personal de Dios con el que Pedro bautizó?

   Respuesta: y sean bautizados cada uno de ustedes en el nombre de_____.

6. **Juan 17:21**

   ¿Cuál es el término plural que Dios usa para mostrar que Él es una unión del Padre y el Hijo?

   Respuesta: que también ellos estén en_____.

Ahora veamos la unidad de Dios con nosotros como creyentes individuales en Jesús.

7. Juan 15:5

¿Qué puede lograr el que permanece en Él?

Respuesta: ese da mucho_____.

8. Juan 15:5

Es claro, pues, que Dios desea que demostremos Su Gloria dando mucho fruto; pero, ¿qué sucede cuando tratamos de hacer las cosas en nuestras fuerzas o sin darle la gloria a Él?

Respuesta: porque separados de Mí nada pueden_____.

9. Juan 15:7

¿Cuál es la clave para activar esta maravillosa declaración hecha por Jesús y con la que afirmó que podemos recibir todo lo que deseemos?

Respuesta: ...»Si_____en Mí, y Mis palabras_____en ustedes...

La palabra «permanecer» no se refiere a una relación casual, sino a una relación íntima y personal con Dios, a fin de que Él nos conceda lo que pidamos. ¡Wow!
Ahora centrémonos en analizar la unidad entre nosotros como cristianos y cómo esta puede lograr que los propósitos de Dios sean cumplidos en una medida mucho más grande.

10. Génesis 3:10

¿Cuál fue una de las principales consecuencias de la desobediencia de Adán y Eva hacia Dios y la ruptura que había entre ellos y Él?

Respuesta: tuve_____ porque estaba desnudo...

11. Eclesiastés 4:12

El poder del acuerdo entre dos personas, así como la unión matrimonial entre un hombre y una mujer es una demostración contundente de que se puede resistir al enemigo. Pero si agregas una tercera persona como, por ejemplo, al Espíritu Santo, ¿crees que esa ventaja es todavía mayor? Si es así, ¿por qué?

Respuesta:_____, Un cordel de tres hilos no se_____ fácilmente.

En el próximo estudio sobre la «Guerra espiritual» veremos el principio de «masa o masividad». Este principio enseña claramente el poder que produce la unidad cuando el pueblo de Dios opera de manera unificada o masiva.

12. Deuteronomio 32:30

Con el poder de «masa o masividad» en mente que enseña que la oración de fe de una persona puede hacer huir 1000 espíritus malignos, entonces ¿cuántos espíritus pudieran hace huir dos persona unidas por el poder del acuerdo?

Respuesta: Y dos hacer huir a_____.

¡Qué increíble! Solo piensa el poder exponencial que se añade cuando sumamos más y mas personas a ese total. Sabemos que, aunque en este caso la Biblia se refiere a ejércitos reales, sabemos que como cristianos nuestra lucha es diferente. Veamos en qué consiste esa diferencia:

13. 2 Corintios 10:4

¿Cuáles son las armas de nuestra lucha y en qué consiste el poder de nuestras armas para la destrucción de fortalezas?

Respuesta: Porque las armas de nuestra contienda no son_____, sino poderosas en _____.

Estamos hablando del poder espiritual de la oración, la alabanza y la adoración cuando estas operan unificadamente.

14. 1 Crónicas 12:38

El pueblo de Israel se reunió en un lugar llamado Hebrón. ¿De qué manera pueblo de Israel conjuntamente hizo rey a David?

Respuesta: también todos los demás de Israel eran de un_____ _____ para hacer rey a David.

Es curioso, pero el nombre Hebrón significa «Lugar de asociación (o unidad)». En 1 Crónicas 15 y 16, David hace todo lo posible para asegurarse de que se alabe y se adore continuamente alrededor de la tienda donde se alojaba el Arca del Pacto. David entendió que la atmósfera de la alabanza, la adoración y la oración era la clave para que Israel fuera protegido, y que su práctica continua aseguraba la victoria de Israel sobre sus enemigos.

15. Hechos 15:16-18

¿Cuál Tabernáculo (o tienda) vio el apóstol Santiago que sería reconstruido como un símbolo de la unión entre judíos y gentiles como un solo pueblo de Dios?

Respuesta: Y REEDIFICARÉ EL TABERNÁCULO DE_____.

Jesús rompió las barreras raciales, étnica y los nacionalismos al entregar el don de la vida eterna a todas las personas que lo recibieran.

16. Hechos 2:1

¿Qué estaba haciendo la gente cuando ocurrió el primer derramamiento del Espíritu Santo?

Respuesta: estaban todos _____en un mismo lugar...

En la cultura actual, solemos asociar a la iglesia con una edificación o lugar físico.

17. 1 Pedro 2:5

¿A qué se refiere Dios como el verdadero significado de la palabra «Iglesia»?

Respuesta: también ustedes, como_____ _____, sean edificados como casa espiritual.

Veamos un par de ejemplos de lo que sucede cuando el pueblo de Dios ora en unidad.

18. Hechos 4:31

¿Qué ocurrió en el lugar donde se habían reunido mientras oraban?

Respuesta: el lugar donde estaban reunidos_____.

19. Hechos 4:31

Como resultado, ¿qué les sucedió a los creyentes allí congregados?

Respuesta: ...Y hablaban la palabra de Dios con_____.

En el capítulo 12 de Hechos, leemos la historia de la liberación de Pedro de la prisión por un ángel del Señor.

20. Hechos 12:12

¿Cuál fue la clave para que el apóstol Pedro fuera liberado de la prisión?

Respuesta: donde _____estaban reunidos y _____.

En 1 Corintios 12 se compara la Iglesia con un cuerpo humano, y en algunos otros lugares la Iglesia se conoce como el Cuerpo de Cristo.

21. 1 Corintios 12:25

Sin importar qué tan importante nos parezca el rol individual en el Cuerpo, ¿cuál cree usted que debería ser la actitud de cada creyente hacia los demás para que no haya división en el Cuerpo?

Respuesta: sino que los miembros tengan el _____ _____unos por otros.

22. Efesios 4:13

En los versículos 11 y 12 dice que Dios usa a líderes espiritualmente capacitados para equipar el Cuerpo de Cristo para el servicio de la obra, ¿hasta que todos alcancemos qué estado?

Respuesta: hasta que todos lleguemos a la _____de la fe.

En el Salmo 133 se nos habla de lo bueno y agradable que es habitar los hermanos juntos y en armonía (unidad).

23. Salmos 133:3

¿Qué envía Dios a los hermanos que viven juntos y en armonía?

Respuesta: Porque allí mandó el SEÑOR la bendición, la _____ ____ _____.

Las escrituras sugeridas para su reflexión son: Hechos 4:32; Colosenses 2:19; Romanos 12:4-5,16; Efesios 4:3 y 1 Corintios 12:14-27.

REFLEXIONES:

_____

_____

_____

_____

_____

_____

_____

_____

_____

_____

Respuestas:

1. Dividido
2. Padre, Hijo
3. Espíritu
4. Padre, Hijo, Espíritu Santo
5. Jesucristo
6. Nosotros
7. Fruto
8. Hacer
9. Permanecen, permanecen
10. Miedo
11. Sí, rompe
12. 10.000

13. Carnales, Dios
14. Mismo parecer
15. David
16. Juntos (Unánimes)
17. Piedras vivas
18. Tembló
19. Valor
20. Muchos, oraban
21. Mismo cuidado
22. Unidad
23. Vida para siempre

EL DAR Y EL RECIBIR

El dar es mucho más de lo que hacemos en términos financieros. El dar es lo que hacemos con nuestro tiempos, dones y talentos. Es decir, involucra todo lo que poseemos y todo lo que somos. La pregunta más sincera que podemos hacernos es si realmente confiamos en que Dios proveerá todas y cada una de nuestras necesidades sin importar lo que Él nos pida que demos.

Comencemos con el asunto de las donaciones económicas. En el Antiguo Testamento, el diezmo era algo solicitado al pueblo para entregárselo a los levitas, mejor conocidos como la tribu sacerdotal.

1. **Nehemías 10:38**

   ¿Qué porcentaje de lo producido por el pueblo se consideraba un diezmo?

   Respuesta: y los levitas llevarán la_____ _____de los diezmos a la casa de nuestro Dios.

2. **Malaquías 3:8**

   ¿Cuáles son las dos maneras en que alguien puede robar o defraudar a Dios?

   Respuesta: ¿En qué te hemos robado?". En los_____y en las_____.

3. **Malaquías 3:9**

   ¿Qué sucede cuando retenemos nuestros diezmos?

   Respuesta: Con_____están _____.

4. **Malaquías 3:10**

   ¿Está bien traer solo una parte del diezmo a Dios?

   Respuesta:_____.

   También se menciona traer el diezmo al alfolí. Este almacén estaba a cargo de los levitas. Casi pareciera que Dios es exigente y estricto; pero veamos si eso es realmente cierto.

5. **Malaquías 3:10**

   ¿Cuál es esa gran promesa que recibimos cuando llevamos el diezmo completo a Dios?

   Respuesta: «si no les abro las_____de los cielos, y derramo para ustedes_____ hasta que sobrea-bunde.

6. **Malaquías 3:11**

   ¿Qué más prometió Dios que haría si diezmamos?

   Respuesta: Por ustedes reprenderé al_____ .

7. Malaquías 3:12

¿De qué forma asombrosa dice Dios que todas las naciones te llamarán si diezmas?

Respuesta: «Y todas las naciones los llamarán a ustedes_____, porque serán una tierra de _____...»

Con todas estas promesas, queda más que claro que Dios desea bendecirnos, ¡no quitarnos cosas ni dinero!
Jesús profirió algunas palabras duras a los líderes religiosos de su época por sus actitudes arrogantes hacia la ofrenda.

8. Mateo 23:23

Mientras corregía a los escribas y fariseos por no preocuparse por las cosas que mayormente cuentan (como, la justicia, la misericordia, la fidelidad) ¿indicó Jesús que estaba anulando el diezmo?

Respuesta:_____.

Además del diezmo, hay otros dos tipos o razones para dar financieramente y que están muy por encima del diezmo. Estos se dan luego de que uno ha apartado el diezmo.

9. Éxodo 35:29

¿Cómo fue llamado el tipo de ofrenda que los israelitas trajeron para ayudar a la construcción del Templo cuando sus corazones los movieron a hacerlo?

Respuesta: trajeron una_____ _____al SEÑOR.

Hay muchos tipos y motivos para las ofrendas mencionadas en el Antiguo Testamento. Quizás puedas explorar algunos de ellos en tu reflexión al final del este estudio.

10. Hechos 24:17

¿Cuál es el tercer tipo de donativo financiero?

Respuesta: he venido para traer_____a mi nación y a presentar ofrendas.

Las limosnas se conocían como ofrendas caritativas o donativos para los pobres. La limosna, por lo general, consistía en dar cosas materiales como comida y ropa. Con esto queda claro, que el dar va mucho más que ofrendar económicamente.

11. Juan 3:16

(Como vimos en anteriores estudios, creer significa confiar en Él) ¿Qué nos dio Dios y que traerá como resultado pasar la eternidad con Él?

Respuesta: que ha dado a su_____unigénito...

El beneficio de esta asombrosa acción de amor de Dios dio y todavía sigue dando a luz a muchos hijos e hijas.

12. Gálatas 6:7

¿De qué principio bíblico muy importante se nos exhorta a no dejarnos engañar?

Respuesta: pues todo lo que el hombre_____, eso también_____.

Veamos algunos consejos que da la Biblia para ayudarnos a mantener una actitud correcta frente al dar.

13. 2 Corintios 9:7

¿Cuáles son esas dos formas de no ceder y mantener este proceso de dar y recibir funcionando de una manera adecuada?

Respuesta: no con_____, ni por_____.

14. 2 Corintios 9:7

¿Qué tipo de dador ama Dios?

Respuesta: porque Dios ama al dador_____.

15. Mateo 6:31

En lo que respecta a mostrarle a Dios que esperamos plenamente que Él satisfaga nuestras necesidades, ¿qué no deberíamos hacer si realmente creemos que Él proveerá nuestra comida, bebida y vestido?

Respuesta: No os_____.

16. Mateo 6:33

¿Cuáles son las dos cosas que debemos buscar primero y continuamente para no volvernos ansiosos e inquietos?

Respuesta: Mas buscad primeramente el_____ ___ _____ y su_____.

Como ya dijimos en un estudio bíblico anterior, la justicia implica tener una actitud correcta frente a Dios.

17. Mateo 6:33

¿Cuál es nuestra recompensa si hacemos de Dios y Su reino nuestra primera prioridad?

Respuesta: y_____estas cosas os serán añadidas.

18. 1 Timoteo 6:9

¿Qué le sucede a una persona que, a toda costa, quiere hacerse rica?

Respuesta: caen en_____y _____.

19. 1 Timoteo 6:10

¿Qué actitud hacia el dinero es la verdadera raíz de todos los males?

Respuesta: porque raíz de todos los males es el_____al dinero...

Una vez que tengamos la actitud y la perspectiva adecuada sobre lo que producen, tanto el dar como las trampas del querer hacernos ricos, entonces estamos listos para recibir la recompensa por nuestros donativos.

20. 2 Corintios 9:8

¿Cuánto quiere Dios que tengamos por cada buena obra?

Respuesta:_____para toda buena obra...

21. 2 Corintios 9:10

¿Qué quiere Dios suplir, además de dar semilla al que siembra?

Respuesta: suplirá y_____ la siembra de ustedes...

22. 2 Corintios 9:10

Como resultado de este proceso de multiplicación, ¿qué aumenta entonces Dios?

Respuesta: y aumentará la_____ de su justicia.

Dios usa bastante los términos agrícolas en las Escrituras porque es era la principal forma de industria en esos días.

23. Lucas 6:38

¿Dónde caen las bendiciones de Dios en respuesta a tu fiel ofrenda?

Respuesta: vaciarán en sus_____.

A continuación, les dejo algunas útiles escrituras para su reflexión: Eclesiastés 11:1; 2 Corintios 9:6-11; 2 Timoteo 3:1-3; Deuteronomio 8:18 y Deuteronomio 28:1-14.

REFLEXIONES:

_____

_____

_____

_____

_____

_____

_____

_____

Respuestas:

1. Décima parte
2. Diezmos, ofrendas
3. Maldición, malditos
4. No
5. Ventanas, bendición
6. Devorador
7. Bienaventurados, delicias
8. No
9. Ofrenda voluntaria
10. Limosnas
11. Hijo
12. Sembrare, segará
13. Tristeza, necesidad
14. Alegre
15. Afanéis
16. Reino de Dios, Justicia
17. Todas
18. Tentación, lazo
19. Amor
20. Abundéis
21. Aumentará
22. Cosecha
23. Regazos

GUERRA ESPIRITUAL

La «guerra espiritual» puede parecer un tema aterrador; sin embargo, debido a que Dios nos ha creado a Su imagen y a que Él es Espíritu, somos seres espirituales habitando en un mundo espiritual. En ese sentido, la Palabra de Dios nos ofrece principios y herramientas para guiarnos en el conocimiento necesario para ser victoriosos en esta área. Como sabemos, existe una batalla entre el bien y el mal a nuestro alrededor; de ahí que en estos «últimos días» en los que estamos antes del regreso de nuestro Señor Jesucristo es fundamental que aprendamos cómo salir victoriosos, como el Ejército de Dios que somos. Estudiaremos esto, tanto a nivel personal como a nivel corporativo, en esta lección.

1. **Oseas 4:6a**
   Algunos suelen citar el viejo dicho que dice ojos que no ven, corazón que no siente. Pero según el versículo citado, ¿es esto cierto?

   Respuesta:_____.

2. **2 Corintios 2:11**
   Como cristianos, ¿qué no debemos ignorar?

   Respuesta: pues no ignoramos sus_____.

   Así que nos guste o no, no podemos excusarnos en la ignorancia acerca de las maquinaciones y planes de Satanás para explicar el por qué continuamente pudiéramos estar sufriendo fracasos o incluso opresión.

3. **2 Corintios 4:4**
   ¿Qué ha hecho el dios de este mundo (Satanás) a las mentes de quienes no conocen a Dios?

   Respuesta: ha_____ el entendimiento.

4. **1 Pedro 5:8**
   ¿De cuáles dos cosas o actitudes debemos estar apercibidos y que tienen que ver con que Satanás anda al acecho como león rugiente buscando a quien devorar?

   Respuesta: Sean de_____ _____, estén_____.

No podemos, por tanto, simplemente relajarnos y esperar que todo salga bien. Aunque nuestro adversario el diablo no juegue limpio, ¿crees que Dios tiene un plan de contraataque?

La Biblia se refiere a los creyentes como parte de la familia de Dios, con Él como Padre, y Sus seguidores como Sus hijos e hijas. No obstante, otra descripción relevante sobre nosotros como creyentes, es que somos el «Ejército de Dios». De manera que, como saldados de Dios que somos, debemos aprender cuáles son nuestras habilidades y saber cómo implementar las armas de nuestra milicia con las que el Señor nos ha equipado para que peleemos «la buena batalla de la fe».

5. 2 Corintios 10:3-4

Como cristianos, ¿nuestras armas se basan en nuestras habilidades físicas? ¿En qué tipo de poder están basadas nuestras armas?

Respuesta:_____,_____ _____ _____.

Sabemos que Dios no ha sido ni será derrotado jamás. Sabemos también que Él ha diseñado un plan de victoria para que caminemos en él. Por eso en el estudio siguiente nos ocuparemos de lo que comúnmente conocemos como «La armadura de Dios» (Efesios 6:10-19), ya que ese pasaje es nuestro adiestramiento previo para la batalla.

6. Efesios 6:10

Aquí Dios declara que estamos en una posición de victoria y poder. ¿En el poder de quién se nos exhorta a ser fuertes?

Respuesta: en el poder___ _____fuerza.

O sea que si hacemos lo que Él nos dice que hagamos, nunca perderemos, ¿verdad? ¡Increíble! Pero veamos cómo podemos ganar esta y todas las batallas.

7. Efesios 6:11

¿Qué debemos ponernos para «mantenernos firmes» contra las insidias (planes) del diablo?

Respuesta: _____ ____ _____.

Nótese que dice que no serán suficientes unas pocas piezas preparatorias. Ciertamente, este es un asunto serio que indica que no podemos trasegar nuestro caminar cristiano de manera casual. Ahora echemos un vistazo a todas las piezas de la Armadura de Dios, y así poder estar mejor preparados para la batalla.

8. Efesios 6:12

¿Es nuestra lucha (o batalla) contra las personas o contra los poderes malignos de las tinieblas?

Respuesta: contra_____ _____ _____ _____ _____.

9. Efesios 6:13

¿Le pondrá Dios toda Su armadura sin que usted haga ningún esfuerzo?

Respuesta:_____.

Existe una obligación más que obvia por parte de cada creyente si queremos ser soldados victoriosos, ya que La armadura de Dios no cae milagrosamente sobre nosotros.

10. Efesios 6:14

Una de las fuerzas maligna más poderosas que se nos oponen en estos «últimos días» son los diversos tipos de espíritus de perversiones sexuales. No es de extrañar, por lo tanto, que esa sea la primera pieza de la armadura que se nos pide que nos pongamos.

¿Con qué se nos dice que ciñamos nuestros lomos para mantenernos firmes?

Respuesta: La _____.

La verdad de la que se nos habla es la Palabra de Dios, ya que si no sabemos lo que la Biblia dice sobre la moral, fácilmente podemos ser engañados por nuestras emociones.

11. 1 Corintios 15:33

¿Qué tipo de ejemplo se cita aquí respecto a la rapidez con la que nuestras buenas costumbres pueden ser engañadas?

Respuesta: Las_____ _____corrompen las buenas costumbres.

12. Efesios 6:14

¿Cuál es la segunda pieza de la armadura que debemos ponernos?

Respuesta: La_____ de la _____.

13. 2 Corintios 5:21

¿Qué hizo Jesús para que pudiéramos ser llamados «La justicia de Dios en Él»?

Respuesta:____ _____ _____.

En otras palabras, nuestros pecados fueron sustituidos por la sangre de Cristo, la cual fue derramada por nosotros en la cruz. Por este increíble acto de amor estamos justificados por la fe desde ahora y para siempre.

14. Efesios 6:15

Siendo los pies una parte del cuerpo que debemos calzar (o equipar) con el evangelio de la paz, ¿qué verbo fundacional activo debemos activar para que el evangelio sea efectivo?

Respuesta: Debemos_____ y hacer discípulos.

15. Efesios 6:15

También se menciona que algo tiene que ocurrir con el evangelio de la paz. ¿Cuál es esa importante característica?

Respuesta: la _____para anunciar el evangelio de la paz.

El anunciar el evangelio requiere que nos dediquemos primero a aprender cómo compartir la verdad del mensaje de salvación, pues esto no sucede por accidente. Ya estudiamos esto con más detalle en el estudio sobre la «Gran Comisión».

16. Efesios 6:16

¿Qué parte de la armadura se muestra aquí que, cuando se usa correctamente, protege tu corazón?

Respuesta: El_____ ____ ___ _____.

17. Romanos 10:17

¿Cómo se adquiere la fe para apagar todos los dardos de fuego del maligno?

Respuesta: por la _____ de Cristo.

La fe de cada persona se desarrolla al escuchar y confesar la Palabra de Dios. Al hacer esto, comenzamos a ver que É ya ha nos ha dado autoridad sobre los dardos y acusaciones con que el maligno constantemente intenta hacernos creer cosas contrarias a la voluntad Suya.

18. Efesios 6:17a

El fundamento más importante de nuestras vidas es la seguridad de la salvación eterna. Así que no es de extrañar que la siguiente pieza de nuestra armadura tenga que ver con la protección de la mente, ya que allí es donde se desarrollan las verdaderas batallas. ¿Cuál es la pieza de la armadura que protegen nuestra cabeza (o mente)?

Respuesta: El _____ de la salvación...

19. 1 Juan 3:1

¿Qué palabra poderosa sobresale en este versículo que respalda y edifica nuestra fe respecto al casco de la salvación?

Respuesta: Miren cuán gran_____ nos ha otorgado el Padre...:

O sea que al confesar el amor de Dios edificamos la confianza en que Él está en y con nosotros sin importar cuál sea la circunstancia.

20. Efesios 6:17b

La última pieza de la armadura tiene exactamente el mismo impacto que la Palabra de Dios, ya que puede usarse, tanto como un arma de ofensiva como de defensiva. ¿Cuál es?

Respuesta: la_____ del_____.

21. Hebreos 4:12

¿En cuáles tres cosas se compara la Palabra de Dios con una espada real?

Respuesta:_____ y _____, y más _____ que cualquier espada de dos filos.

22. Efesios 6:19

¿Para qué deben utilizarse realmente todas estas importantes piezas de la armadura?

Respuesta: Para_____ o_____.

Pero no solo para orar sino, además, para entrar en guerra espiritual, o más bien interceder. Nadie puede entrar a la guerra espiritual de forma casual, ya que esta requiere preparación y estrategia; de ahí que muchas veces requiramos del esfuerzo combinado de un equipo. En su serie, *Spiritual War College*, mi mentor y amigo, Tim Taylor, fundador de *Kindom League International*, explora a fondo 8 principios de la guerra que también son enseñados en la Escuela de

Guerra Naval de los Estados Unidos. Estos principios se basan en las enseñanzas del antiquísimo general chino, Sun Tzu, hace más de 2500 años atrás. Aunque originalmente estos no tenían una raíz cristiana, veremos que todos sí corresponden con un fundamento bíblico, los cuales nos ayudarán en nuestro deseo de ser guerreros espirituales efectivos.

Los ocho (8) principios de guerra espiritual que veremos a continuación son los siguientes: 1) Objetivo, 2) Comunicaciones y suministros, 3) Masividad 4) Ofensiva 5) Sorpresa 6) Simplicidad 7) Seguridad 8) Movilidad.

El primer principio de la guerra es el «Objetivo».

23. Habacuc 2:2

¿Con qué otro nombre para objetivo se nos exhorta a escribir o registrar?

Respuesta: «Escribe la_____.

Es importante que escribamos la visión o el objetivo a lograr para que otros puedan entenderlo claramente y se sientan inspirados a ir en pos de este y las estrategias diseñadas para lograrlo. Para poder conquistar un objetivo con éxito, necesitamos saber de antemano quiénes son nuestros aliados y y quiénes son nuestros enemigos.

24. 2 Corintios 10:5

Ya hemos aprendido que nuestra lucha es contra las fuerzas espirituales de maldad, y que estas son nuestros verdaderos enemigos. Sin embargo, ¿cuáles son esas tres cosas que se nos exhorta a hacer para que podamos ganar ventaja contra estas fuerzas del mal?

Respuesta: destruyendo_____ y todo pensamiento_____ que se levanta contra el conocimiento de Dios, y poniendo todo_____ en cautiverio...

Como vemos aquí, la batalla se libra en nuestras mentes y se gana con la determinación voluntaria de derribar verbalmente estos pensamientos impíos.

Nuestro segundo principio de guerra es la «Comunicación y suministro». Durante la Primera Guerra del Golfo contra el régimen de Saddam Hussein, Estados Unidos tenía una fuerza superior; aun así, sabía que la primera línea de suministro que debía bombardear era las comunicaciones de las fuerzas iraquíes. Al hacer esto al comienzo de la guerra, Estados Unidos logró neutralizar al ejército iraquí y asegurar la victoria en unos pocos días. De la misma manera, si nosotros deseamos tener una Fuerza Aérea Superior en términos espirituales, tenemos que esforzarnos por desarrollar una Fuerza de Oración Superior, ya que la victoria final dependerá, en gran medida, de cuán eficaz sea nuestra oración. Y para ser eficaces, debemos tener buenas comunicaciones.

25. Hechos 2:1

Jesús era el Gran Comunicador por naturaleza; por eso Sus 120 seguidores entendieron completamente sus instrucciones. Según lo narrado en este pasaje, ¿qué hicieron en relación a las instrucciones de Jesús?

Respuesta: estaban_____ _____en un mismo lugar.

La buena comunicación es un excelente activo para la unidad. Por eso cuando los discípulos de Jesús fueron totalmente obedientes, obtuvieron grandes resultados.

26. Hechos 2:4

¿Cuáles fueron esos grandes resultados que prepararon el escenario para que todos los futuros creyentes también los obtuvieran?

Respuesta: Todos fueron_____del Espíritu Santo.

Lo siguiente es el principio de «Masa o masividad». Aunque ya vimos este principio en el estudio anterior sobre la oración, es importante recordar algunas de las cosas que suceden cuando oramos en unidad. Cuando esto sucede, Dios ciertamente aprovecha nuestras oraciones de una forma exponencial. Repasemos nuevamente este ejemplo en la Biblia:

27. Deuteronomio 32:30

Vemos aquí que una persona tiene la habilidad (o potencial) de hacer huir a 1000 enemigos espirituales. Sin embargo, ¿Cuántos enemigos pueden hacer huir dos personas?

Respuesta:_____.

El siguiente principio es la «Ofensiva». Es bien sabido que en el arte de la guerra cualquier ejército que adopte como estrategia la defensiva, en el mejor de los casos solo logrará estancarse, y en el peor, perder la guerra. De ahí la importancia que tengamos armas de defensa bien articuladas, como estudiamos anteriormente con la relación a la Armadura de Dios. Esto es vital ya que el Señor nos asegura que las armas de nuestra milicia son poderosas en Él para la destrucción de fortalezas.

28. Efesios 6:17

¿A qué se refiere esta parte poderosamente sobrenatural de nuestra armadura que se llama la espada del Espíritu?

Respuesta: a la_____de Dios.

Cuando usamos la Palabra de Dios en el contexto apropiado y la proclamamos con fe, ¡obtendremos la victoria de Dios!
El siguiente principio es el factor «Sorpresa». En la historia de Gedeón, en el Antiguo Testamento, vemos una imagen asombrosa de este principio. Recordemos que el ejército de Gedeón había recibido la orden de Dios de reducir su tamaño a tal solo 300 hombres. Esto confirma el principio de masa que Dios usaría para destruir el ejército madianita.

29. Jueces 7:19-21

¿Cuáles fueron esas dos cosas que sucedieron en el verso 21 como resultado al ataque sorpresivo contra los madianitas?

Respuesta: y todo el ejército de los madianitas_____ _____ mientras huían.

El siguiente principio es «Simplicidad». Esto es sumamente importante, ya que si hay demasiados detalles en un plan, especialmente si se trata de un gran ejército o un grupo considerable de personas, la misión puede que pierda el rumbo por más buenas que sean las intenciones. Me gusta el acrónimo en inglés de KISS (Keep It Simple Saints) ideado por mi apreciado Tim Taylor, y que en español sería algo así como *Santos, conserven lo sencillo*.

30. 1 Corintios 14:33

Con respecto a las instrucciones del apóstol Pablo sobre lo inconveniente que resultaba el que muchos hermanos congregados profetizaran al mismo tiempo, ¿qué dijo Él qué no era Dios y qué dijo que sí era?

Respuesta: Porque Dios no es Dios de_____, sino de_____.

El siguiente principio se llama «Seguridad». Creo que todos sabemos lo difícil que no resulta a la mayoría de nosotros mantener un secreto. Sin embargo, con relación con la guerra espiritual, puede acarrear consecuencias desafortunadas y poner en peligro la misión si compartimos nuestros planes secretos con alguien que no sea capaz de mantener la boca cerrada.

31. Mateo 7:6

Jesús nos advirtió tajantemente que podíamos ser literalmente despedazados si hacíamos una de estas dos cosas. ¿Cuáles son esas dos cosas que debemos evitar hacer?

Respuesta: No den lo_____a los perros, ni echen sus_____delante de los cerdos...

El último principio de la guerra es la «Movilidad». Este principio es importante, pues si no puedes movilizarte libremente no podrás pasar a la ofensiva o, en otras palabras, ir a donde necesites ir en el momento preciso. Esto también puede incluir una retirada inevitable. Siempre estará bien tomarse un tiempo para reacomodar fuerzas y refrescar la mente. En ese sentido, la movilidad significa que siempre debemos tener un sentido de preparación estratégico.

32. 2 Timoteo 4:2

¿En qué momento debemos estar listos para compartir o incluso predicar la Palabra de Dios?

Respuesta: Insiste a _____ y _____de tiempo.

En Hechos 3 Pedro y Juan nos mostraron cómo operaba este principio por la forma en que reaccionaron cuando se toparon con el cojo en la puerta del templo llamado la Hermosa.

33. Hechos 3:1-10

En lugar de darle dinero al mendigo, ¿qué le dijo Pedro al cojo que hiciera en e verso 6, cuyo resultado se ve en el vero 8?

Respuesta: ...en el nombre de Jesucristo el Nazareno,_____!», _____y _____, _____a Dios.

El nombre de «Puerta la Hermosa», aquí no significa realmente bonito o agradable a la vista, sino tiempo correcto o «tiempo de Dios». Debido que mucha gente había visto a este mendigo en ese lugar por más de 40 años, el milagro fue tan asombroso que hizo que más de 5,000 hombres fueran salvos como se registra en Hechos 4:4. Esto demuestra que el tiempo de Dios es realmente una «cosa hermosa».

Las siguientes son algunas escrituras adicionales para tus reflexiones: Isaías 59:16-17; 1 Timoteo 1:18-19; Filemón 1:6; Jeremías 23:29 y Gálatas 6:7-8.

REFLEXIONES:

_____

_____

_____

_____

_____

_____

_____

_____

_____

_____

_____

_____

Respuestas:

1. No

2. Planes

3. Cegado

4. Espíritu sobrio, alerta

5. No, poderosas en Dios

6. De Su

7. Toda la armadura

8. Las fuerzas espirituales de maldad

9. No

10. Verdad

11. Malas compañías

12. Coraza, justicia

13. Lo hizo pecado

14. Ir

15. Preparación

16. Escudo de la fe

17. Palabra

18. Casco

19. Amor

20. Espada, Espíritu

21. Viva, eficaz, cortante

22. Orar, interceder

23. Visión

24. Especulaciones, altivo, pensamiento

25. Todos juntos

26. Llenos

27. 10.000

28. Palabra

29. Huyó (Echó a correr), gritando

30. Confusión, paz

31. Santo, perlas

32. Tiempo, fuera

33. Anda, caminando, saltando, alabando

SANIDAD INTERIOR

Como todos experimentamos heridas y desilusiones a lo largo de nuestras vidas, es claro, entonces, que cada uno de nosotros necesitemos sanidad en alguna área de nuestro cuerpo, mente y corazón. Sin embargo, Jesús por Su Espíritu Santo, nos ofrece sanidad interior gracias a lo que Él hizo por nosotros en la cruz. A continuación, analizaremos algunas fuentes e historias de cómo nuestro ser interior se ha visto afectado, y cómo también podemos superar las adversidades del pasado.

Para comenzar, es importante tener en cuenta que existen muchas variables que explican las manifestaciones derivadas de los malos hábitos y erráticos procederes en las personas.

1. **Efesios 2:3**

   ¿Cómo era nuestra naturaleza humana antes de convertirnos en cristianos?

   Respuesta: éramos por naturaleza_____ _____ _____.

   Si queremos ver un verdadero cambio en nuestro ser interior, es importante comprender primero que antes de nuestra conversión no éramos para nada buenos según las normas de Dios.

2. **Romanos 3:12**

   Aparte de la gracia salvadora de Dios que es lo que único que hace que seamos justos, ¿cuántas personas buenas hay?

   Respuesta: No hay_____ que haga lo bueno...

   Al aferrarnos al principio inesquivable de que necesitábamos desesperadamente un Salvador, vemos que urgimos ser asistidos por Dios para poder crecer en nuestra fe. Todos necesitamos ayuda en nuestro caminar cristianos, pues ninguno de nosotros llega a ser perfecto en pensamiento u obra solo porque hayamos recibido a Cristo en nuestras vidas.

3. **Romanos 12:2**

   ¿Cómo podemos ser transformados de acuerdo a la verdadera voluntad de Dios?

   Respuesta: sino transfórmense mediante la_____de su mente...

4. **Efesios 5:26**

   ¿Cómo se produce este proceso de transformación?

   Respuesta: habiéndola purificado (la Iglesia) por el lavamiento del agua con la_____.

   Ya aprendimos que Jesús es la «Palabra viva» y que, como tal, tiene buenos planes para cada uno de nosotros. Aunque estábamos esclavizados por nuestros pecados, Jesús vino a cumplir la profecía de Isaías 61.

5. **Lucas 4:18**

   En cumplimiento de Isaías 61, Jesús proclamó que el Espíritu del Señor lo había ungido para hacer varias cosas. ¿Qué fue enviado Jesús a proclamar a los cautivos?

Respuesta: ME HA ENVIADO PARA PROCLAMAR_____ A LOS CAUTIVOS...

La palabra «liberar» implica la expresión del poder de Dios para liberar completamente a los cautivos. Jesús enseñó cómo hacer esto con el ejemplo. En varios relatos de las Escrituras, el Maestro se ocupó de la manifestación de los espíritus malignos, también conocidos como demonios, expulsándolos de las personas. Cuando Él les ordenó que se fueran, ellos tuvieron que obedecer, aunque algunos renegaron y hasta arrojaron a los niños al piso. Sin embargo, Jesús sabía que tenía total autoridad sobre todo poder del enemigo.

6. **Mateo 10:8**
¿Esperaba Jesús que Sus discípulos también echaran fuera demonios?

Respuesta:_____.

7. **Marcos 16:17**
¿Quién más dijo Jesús que debían echar fuera demonios?

Respuesta: Y estas señales[a] acompañarán a los que han_____.

8. **Mateo 17:21**
A veces, la esclavitud espiritual de una persona puede ser tan profunda que se necesitarán dos acciones contundentes para que esta persona sea libre. ¿Cuáles son esas dos acciones necesarias para que un espíritu maligno sea expulsado?

Respuesta: Pero esta clase no sale sino con_____ y _____.

La mayoría de los casos en los que se vio a Jesús echando fuera demonios fueron situaciones muy complejas donde las personas estaban atadas o poseídas por un espíritu maligno y donde estas personas tenían poco o ningún control para evitar la manifestación demoníaca. Ahora bien, ¿puede un cristiano estar poseído por un demonio?
Si bien no cabe duda alguna de que los cristianos pueden ser oprimidos o influidos por demonios, es poco probable que sean poseído, ya que una posesión demoniaca, como tal, implica que la persona no tiene ningún control sobre su vida. Y dado que, como cristianos, hemos recibido a Cristo como nuestro Señor y Salvador, los espíritus satánicos no pueden ser dueños de nuestras vidas al mismo tiempo.
Echar fuera demonios es un tipo de sanidad interior que es instantánea. Sin embargo, para la mayoría de los cristianos, obtener libertad de las heridas internas y de las influencias de los espíritus malignos requiere más tiempo y un esfuerzo constante. Como aprendimos en el estudio «Unidad de la Fe», Dios es un Ser tripartito, y nosotros estamos hechos a Su imagen: cuerpo, alma y espíritu. El alma incluye la mente, la cual debe ser renovada, puesto que aquí es donde se toman las decisiones y donde vínculos no deseados, eventualmente, puede terminar afectando nuestro espíritu/corazón. El verdadero «tú» puede describirse como el ser interior regenerado, como el hombre o la mujer que nace cuando le pide a Jesús que entre en su corazón y establece una relación personal con Dios por su Espíritu Santo.

9. **Ezequiel 36:26**
¿Qué clase de corazón prometió Dios que nos daría y qué tipo de corazón prometió quitarnos cuando pusiera un nuevo espíritu dentro de nosotros?

Respuesta: quitaré de su carne el corazón de_____ y les daré un corazón de_____.

Esto quiere decir que si en verdad estamos dispuestos, ahora podemos recibir todo lo que Dios tiene reservado para nosotros. No obstante, nuestras malas decisiones pueden acarrearnos consecuencias desafortunadas, pues del mismo modo que existen ciertas anomalías físicas que nos han sido transmitidas por medio de nuestra genética, de generación a generación, también hay cosas espirituales transmitidas por nuestros antepasados que puede afectar nuestro ser interior, y también nuestra mente.

Las causas y efectos de estas condiciones están registradas en el Antiguo Testamento como consecuencia de no obedecer los mandamientos de Dios.

10. Deuteronomio 28:15

¿Cuál fue el nombre dado a estas desafortunadas consecuencias y que se encuentran enumeradas desde el versículo 15 hasta el final del capítulo?

Respuesta: vendrán sobre ti todas estas_____ y te alcanzarán...:

11. Gálatas 3:13

Por fortuna, Dios no nos dejó en este estado de maldiciones heredadas. ¿Qué hizo Jesús para darnos un futuro lleno de esperanza?

Respuesta: Cristo nos_____de la maldición de la ley

En la siguiente sección discutiremos cuáles son algunas de esas raíces que causan que nos ocurran cosas malas. También veremos algunos principios para saber cómo liberarse de las consecuencias que trajeron a nuestras vidas todos estos eventos pasados. Como no analizaremos esto de manera exhaustiva, no recomendamos dejar de tomar cualquier medicamento, así como tampoco dejar de visitar tu médico de cabecera o consejero espiritual.

12. Juan 7:38

¿Qué tipo de aguas brotarán de lo más íntimo de una persona que cree en Jesús?

Respuesta: De su interior correrán ríos de agua_____.

A pesar de que en este pasaje y en muchos otros Jesús nos ve ejerciendo todo nuestro potencial, Jesús también deja bastante claro cuáles fueron algunas de las causas y consecuencias del pecado.

13. Juan 8:34

¿Cómo describió Jesús el estado de ánimo de alguien que comete pecado?

Respuesta: todo el que comete pecado es_____del pecado...

Ser esclavo implica vivir en esclavitud. Y aunque ciertamente al hacernos seguidores de Jesús todos nuestros pecados son perdonados, esto no significa que seamos libres automáticamente de las consecuencias de nuestros pecados.

14. Juan 8:32

Ya que como cristianos conocemos la «Verdad viva», ¿en qué nos convertirá esta vedad?

Respuesta: y conocerán la verdad, y la verdad los hará_____.

Note que dice que la verdad te hará libre. Aun así, hay algunas cosas en las que debemos aprender a caminar para poder experimentar plenamente la libertad de la que Jesús está hablando.

15. 2 Corintios 2:10-11

¿Ignorar los caminos de Dios nos justifica o exime de nuestra mala conducta, especialmente en lo relacionado con el perdonar a los demás?

Respuesta:_____.

16. Oseas 4:6

¿Qué le puede ocurrir al pueblo de Dios por su ignorancia?

Respuesta: Mi pueblo es_____ por falta de conocimiento.

Hay que aclarar que, en el contexto en cuestión, el pueblo de Dios había rechazado el conocimiento de manera sistemática. Sin embargo, el Señor es un Dios de misericordia y gracia y nos da muchas oportunidades de buscar Su conocimiento.

Para poder caminar en la libertad que Dios nos ha deparado, veamos algunas de las causas más comunes que dificultad el hallazgo de esta libertad.

PALABRAS DE MALDICIÓN:

17. Proverbios 18:21

¿Cuáles son esas dos cosas que están en el poder de la lengua?

Respuesta:_____ y _____ están en poder de la lengua...

Como ya mencionamos en anteriores estudios, hay poder en nuestras palabras para bien o para mal. En ese orden de ideas, hay tres principales maneras en que se pueden proferir palabra sobre alguien de una forma negativa: 1) Alguien que le habla siempre de forma negativa. 2) Hablar siempre negativamente a otros. 3) Hablar palabras negativas sobre sí mismo. Alguna de estas tres formas de hablar puede acarrear consecuencias devastadoras para todos los involucrados, incluso para las generaciones futuras.

18. Éxodo 34:7

¿A cuántas generaciones se pueden pasar las iniquidades de los padres?

Respuesta: hasta la_____ y _____ generación.

19. Colosenses 2:13-14

¿Qué ocurrió con el decreto de nuestras deudas cuando Jesús lo clavó en la cruz, a fin de que fuéramos perdonados?

Respuesta: habiendo_____el documento de deuda...

Para que usted pueda apropiarse de la cancelación de cualquier derecho legal de las palabras de maldiciones que hayan sido proferidas sobre usted u otros, se requerirá un par de cosas importantes: la primera es la humildad. Uno siempre debe estar dispuesto a admitir y confesar las malas acciones que haya hecho o dicho sobre otros, así como de aquellas cosas que se haya dicho a sí mismo.

20. Santiago 5:16

¿Qué deben hacerse unos a otros si desean ser sanados?

Respuesta:_____sus pecados unos a otros, y_____unos por otros para que sean sanados.

Para obtener una buena porción de liberación de los efectos de los pecados pasados, uno debe ser humilde y reconocer en oración todas aquellas cosas que necesitan ser perdonadas. Pero no ore solo; busque a alguien que tenga experiencia en cómo orar por sanidad por cosas del pasado.

La segunda cosa importante que se requiere para cancelar los derechos legales, es reconocer la necesidad de perdonar a todos aquellos que te han herido, y pedirle a Dios que le perdone a usted también sus propios pecados.

21. Marcos 11:25-26

Si uste desea que Dios lo perdone, ¿qué debe hacer si tiene algo en contra de alguien?

Respuesta: Y cuando estén[a] orando, _____si tienen algo contra alguien...

Hay muchos pecados que cometemos con nuestras palabras o acciones, y hay ciertas raíces o fortalezas que se alimentan de estos pecados hasta arrraigarse en nuestro ser interior. Dichas fortalezas pueden comenzar a edificar un fundamento demoníaco. Algunas de estas fortalezas incluyen: lujuria, brujería, rechazo, temor, orgullo o idolatría. Un ejemplo de cómo una «fortaleza de rechazo» pudiera echar raíces dentro de ti es cuando tu padre te ridiculiza frente a tus compañeros. En ese caso, ¿cómo se superan los efectos negativos de ese incidente? Para liberarse de esa situación en particular debes comenzar con una acción específica.

22. Mateo 12:29

¿Qué debe hacer uno para saquear la casa de un hombre fuerte?

Respuesta: Primero debe_____al hombre fuerte.

Cuando quieres atar algo, simplemente lo haces y ya. Es lo mismo cuando oramos parra ser libres de los hombres fuertes. Así que empieza a atar al hombre fuerte. En primer lugar discierne qué hombre fuerte debes atar (el rechazo, por ejemplo) y entonces átalo.

23. Juan 14:13

¿Mediante el nombre de quién debemos pedir para poder recibir cualquier cosa para la gloria de Padre?

Respuesta: Y todo lo que pidan en Mi/_____ nombre, lo haré...

¡Qué maravilloso! Primero ata al hombre fuerte en el nombre de Jesús y luego pide perdón por todos los pecados que vengan a tu mente con relación a esas fortalezas. Una vez hecho eso, puedes estar seguro (a) de que ya cancelaste los derechos legales que ese hombre fuerte en particular tenía sobre usted y, por lo tanto, ahora puede ordenarle a ese hombre fuerte en el nombre de Jesús que regrese al abismo del Infierno y que no regrese nunca más. Crea que él debe obedecerle y marcharse.

Sin embargo, se debe hacer una cosa más para que esta fortaleza demoniaca no regrese.

24. Juan 5:14

¿Qué le dijo Jesús al hombre que acababa de ser sanado que hiciera para que no le sucediera algo peor?

Respuesta: No_____ más.

En este estudio solo hemos abordado algunos de los conceptos básicos de la «Sanidad interior». Así que usted necesita pedir cita con un consejero experimentado con el fin de asegurarse en conseguir una total liberación de los obstáculos del pasado. Si aún le parece difícil perdonar a otros, trate de meditar en lo que Jesús hizo por cada uno de nosotros en la cruz. Recuerde que, aunque ninguno de nosotros merecía el perdón, Jesús decidió perdonarnos de todos modos, porque nos ama.

A continuación, les dejo algunas escrituras para tus reflexiones: Deuteronomio 28:1-68; Lucas 11:20-22; Números 14:18; Marcos 3:27; Mateo 18:18-19; Mateo 12:43-45 y Gálatas 3:13.

REFLEXIONES:

_____

_____

_____

_____

_____

_____

_____

_____

_____

_____

_____

_____

_____

_____

_____

_____

_____

_____

_____

_____

_____

_____

_____

_____

_____

Respuestas:

1. Hijos de ira
2. Nadie
3. Renovación
4. Palabra
5. Libertad
6. Sí
7. Creído
8. Oración y ayuno
9. Piedra, carne
10. Maldiciones
11. Redimió
12. Viva

13. Esclavo
14. Libres
15. No
16. Destruido
17. Muerte, vida
18. Tercera, cuarta
19. Cancelado
20. Confiésense, oren
21. Perdonen
22. Atar
23. Jesús
24. Peques

PUREZA Y SANTIDAD

Si bien el tema de la «Pureza y la santidad» no es el tema más popular para hablar, sí es un tema sumamente relevante dado la cultura de inmoralidad que vivimos en este tiempo. Y aunque en el presente estudio estaremos hablando explícitamente de varios pecados sexualmente inmorales, mi intención no es avergonzar ni condenar a nadie. Mi intención al tocar este tema es ayudarle a definir claramente lo que la Biblia llama pecado, para así prevenirlo de las consecuencias. Al momento de escribir este estudio, los principios morales de la Biblia están sufriendo un feroz ataque por parte de casi todas las instituciones del mundo. De ahí que desarrollaré un estudio en un capítulo futuro sobre los «últimos días, para que veamos cómo la pureza nos conecta directamente con Dios, y cómo nosotros como creyentes en Cristo estamos llamados asumir una posición de «vencedores», tal como lo describe el libro de Apocalipsis. Para saber cómo abordar este tema tan importante es necesario primero tener en cuenta que al referimos a la pureza, estamos hablando exclusivamente de moralidad bíblica.

1. **Efesios 5:11**

   Dado que el pecado, especialmente la inmoralidad el cual es un tema tan delicado, ¿crees que deberíamos estar hablando de ella públicamente?

   Respuesta:_____.

2. **Efesios 4:15**

   ¿De qué deberíamos estar hablando si deseamos crecer en Dios en todos los aspectos?

   Respuesta: al hablar la_____ en_____.

3. **Efesios 5:3**

   ¿Cuáles son esas tres cosas que el apóstol Pablo dijo que ni siquiera deberían mencionarse entre nosotros?

   Respuesta: Pero que la _____, y toda _____ o _____, ni siquiera se mencionen entre ustedes, como corresponde a los santos.

   En la mayoría de los casos la Biblia se refiere a la moral sexual cuando las palabras moralidad e inmoralidad apuntaban a lo mismo. Sin embargo, en un sentido más amplio, la moral tiene que ver con todos los principios de Dios.

4. **Efesios 5:17**

   ¿Debemos entender cuál es la voluntad de Dios para nuestras vidas?

   Respuesta:_____.

5. **Efesios 5:18**

   ¿Qué no deberíamos hacer y qué sí para entender mejor cuál es la voluntad de Dios?

   Respuesta: Y no se_____ con vino, en lo cual hay disolución, sino sean llenos del_____.

   Aunque ya estudiamos las obras de la carne en el estudio de los «Frutos del Espíritu», que se describen en Gálatas

5:19-21, vale la pena enfatizar que, si bien ya fuimos salvos por la gracias, la cual es un don de Dios, Él espera que como cristianos tengamos una actitud de rechazo frente al pecado

6. Romanos 6:1-2

¿Seguiremos pecando, aunque ya la gracia de Dios nos haya salvado?

Respuesta:_____.

Hay muchas escrituras que hablan de cuál debería ser nuestra relación con el pecado. Un ejemplo es Romanos 6.

7. Romanos 6:12

Ya que hemos sido bautizados y sabemos que Jesús ahora viven en nosotros, ¿qué no deberíamos permitir que el pecado haga en nuestros cuerpos y cuál debería ser nuestra respuesta a sus deseos?

Respuesta: no_____ el pecado en su cuerpo mortal para que ustedes no obedezcan a sus_____.

Como mencioné en el primer párrafo de este estudio, el tema de la «Pureza y Santidad» es un asunto bastante actual, que se entrelaza con el tema de «Los últimos días» que abordo en último capítulo de este manual. Como sabemos, existe un ataque frontal contra nosotros como cristianos, así como también contra las iglesias o instituciones locales que tristemente ignoran esto, o que incluso, aceptan exactamente todo lo opuesto a lo que enseña la Biblia respecto a la moralidad. Con el fin de estar mejor equipados en este tema, definiré a continuación algunos términos relacionados con el asunto en cuestión. Pero antes de entrar en materia, revisemos una escritura que nos advierte proféticamente acerca de lo que estamos viviendo en la actualidad.

8. Isaías 5:20

Para el profeta, ¿cuáles son las dos palabras de las que Dios nos advierte con un «ay» debido a que sus significados serán invertidos?

Respuesta: ¡Ay de los que llaman al mal_____y al bien_____.

Sabemos que la palabra «santo» es buena porque a Dios se le llama Espíritu Santo. Veamos cómo el Diccionario Webster 1928 define las siguientes palabras:

Pureza: Real, genuino, verdadero. Sin mezclar sin otros elementos. Libre de contaminación moral.

Santo: Íntegro, completo o perfecto en un sentido moral. El grado de santidad tiene que ver con la dedicación a vivir un estilo de vida santificado; bueno o piadoso, pero no perfecto.

Santificación: Santificado; el acto de consagrar o apartarse para un propósito sagrado. Es hacer santo desprendiéndose de los afectos de este mundo y sus impurezas.

La mayor meta de nuestro caminar cristiano deber ser imitar a Jesús de todas las formas posibles, ya que esto, permite que Dios nos transforme mediante la renovación de nuestras mentes y la obra de Su Espíritu Santo en nosotros (como ya vimos en estudios anteriores).

9. 1 Pedro 1:15-16

¿Debemos esforzarnos siempre por ser santos y santificados?

Respuesta:_____.

10. 1 Juan 2:15-17

¿Cuáles son esas tres cosas que se describen el verso 16 y que representa «todo lo que hay en el mundo»?

Respuesta: la pasión (codicia) de la_____, la pasión de los_____, y la arrogancia de la_____.

A pesar de que el profeta Isaías ya había advertido que a lo bueno se le llamaría malo en los «últimos días», desafortunadamente en nuestra cultura muchos están redefiniendo lo que es buen y lo que es malo. De ahí la importancia de revisar las definiciones que el Diccionario Noa Webster 1928 hace de algunas palabras, para así tener una mejor comprensión de lo que realmente es bueno y malo desde la perspectiva de Dios.

Adulterio: En el uso común, adulterio significa la infidelidad al lecho matrimonial de cualquier persona casada. Pero en mis propias palabras, se refiere a las relaciones sexuales de un hombre o mujer con alguien que no sea su cónyuge estando casados.

Fornicación (Parafraseando): Es complacerse en la lujuria, el adulterio, el incesto o cualquier otra actividad sexual fuera de los parámetros bíblicos del matrimonio. Por lo tanto, cubre toda conducta sexual inapropiada, ya sea que uno esté casado o no.

Homosexualidad (sodomía) (el Diccionario de 1928 solo define la sodomía): Según esta definición, se trata de un crimen contra la naturaleza. Sin embargo, debemos tener en cuenta que las Escrituras también aborda el tema de la homosexualidad en Romanos 1 y lo define de una manera muy seria.

La mayor búsqueda en nuestro diario caminar cristiano deber ser imitar a Jesús en todas las formas posibles, ya que esto permite que Dios haga Su parte y nos transforme mediante la renovación de nuestras mentes por medio de la obra del Espíritu Santo que habita en nosotros (tal como vimos en estudios anteriores).

11. Romanos 1:26-27

En medio de sus ardientes pasiones y deseos, ¿qué hacían los hombre y mujeres el uno al otro al cometer actos indecentes?

Respuesta: Cambiaron el uso_____ por el_____.

Veamos algunas instrucciones sobre cómo podemos mantenernos puros.

12. Salmos 119:9

¿Cómo puede el joven guardar puro su camino?

Respuesta: Guardando Tu_____.

Si bien esto pareciera sonar demasiado sencillo, es importante tener en cuenta que la Biblia es el manual de instrucciones de Dios para tener una vida bendecida.

13. 2 Corintios 6:14-18

De acuerdo al versículo 14, ¿cuál debería ser nuestra relación con los incrédulos?

Respuesta: No estén_____con los incrédulos...
Literalmente significa no estar en yugo desigual con los incrédulos.

14. 2 Corintios 6:17

¿Qué se nos pide que hagamos más específicamente aquí?

Respuesta: Por tanto,_____DE EN MEDIO DE ELLOS Y_____.

15. 2 Corintios 6:18

¿Cómo dice el Padre que nos llamará si nos apartamos del mundo y sus impíos deseos?

Respuesta: Y serán_____ e_____ para mí.

Separarnos del mundo no quiere decir que no debamos rodearnos de incrédulos. Recordemos que Jesús constantemente estuvo comiendo con publicanos y pecadores, para así, mostrar cuánto los amaba. Sin embargo, no intimó con ellos de una manera profunda hasta que estos se comprometieron a seguirlo.

16. 1 Corintios 6:9-10

¿Cuáles son las cuatro prácticas pecaminosas enumeradas en el verso 9 que son sexualmente inmorales y que impide que la gente herede el reino de Dios?

Respuesta:_____,_____,_____, _____.

Con relación a estas prácticas, continúa diciendo que no «nos dejemos engañar» para advertirnos que es completamente posible el «ser engañados» hasta el punto de acabar considerando estas cosas como «buenas».
Hasta aquí hemos estudiado qué cosas son buenas y qué cosa no lo son. Ahora pasemos a algunas escrituras que hablan del poder de Dios y que nos capacitan para caminar en santidad y pureza.

17. Gálatas 5:16

¿Cómo podemos evitar entregaros a las «obras de la carne»?

Respuesta: Digo, pues:_____ ___ ____ _____, y no cumplirán el deseo de la carne.

He aquí dos formas de «andar en el Espíritu».

18. Efesios 6:10-11

¿Cómo nos mantenemos firmes contra las acechanzas (insidias) del diablo?

Respuesta:_____con toda la armadura de Dios.

Como ya aprendimos en un estudio anterior, esto significa que debemos meditar en la Palabra de Dios, confesarla, creerla y aplicarla. La fe solo vendrá a nosotros cuando sigamos las instrucciones de la Palabra de Dios.

Otra manera más de «andar en el Espíritu» tiene que ver con lo que pensamos acerca de nuestros derechos personales versus los derechos que Dios tiene sobre nuestras vidas.

19. Gálatas 2:20

¿Cuál debería ser nuestra declaración con respecto a nuestros intereses propios en comparación con los intereses de Cristo?

Respuesta: Con Cristo he sido_____.

20. 1 Corintios 6:19-20

Dado que nosotros como creyentes en Cristo no somos dueños de nosotros mismos, ¿qué nos dice Dios que hagamos?

Respuesta: Por tanto, glorifiquen a Dios en su_____.

Mientras reflexiona en este estudio y revisa las referencias de concordancia sugeridas, piense en los aspectos positivos y en los beneficios que producen el caminar en pureza y santidad, así como las consecuencias de caminar en inmoralidad. Una vez hecho esto, elabora tu ensayo.

Referencias de concordancia: 1 Corintios 5:9-13; Efesios 4:17-24; 2 Tesalonicenses 2:13; Gálatas 5:19-21; 1 Corintios 6: 15-18; Colosenses 3:1-17 y 1 Juan 3:7-10.

REFLEXIONES:

_____

_____

_____

_____

_____

_____

_____

_____

_____

_____

_____

_____

_____

_____

_____

_____

_____

_____

_____

_____

_____

_____

Respuestas:

1. Sí
2. Verdad, amor
3. Inmoralidad, impureza, avaricia
4. Sí
5. Embriaguen, Espíritu
6. No
7. Reine, lujurias (deseos)
8. Bien, mal
9. Sí
10. Carne, ojos, vida

11. Natural, innatural
12. Palabra
13. Unidos
14. Salgan, apártense
15. Hijos, hijas
16. Fornicarios, adúlteros, afeminados, homosexuales
17. Anden por el Espíritu
18. Revístanse
19. Crucificado
20. Cuerpo

VENCEDORES DE LOS ÚLTIMOS DÍAS

En el momento en que escribía este capítulo, el último del presente manual, el mundo todavía estaba experimentando los estragos de la COVID 19, una pandemia sin precedentes, quizás, desde la Gripa Española de 1918. Estos sucesos o señales son, de hecho, parte de la revelación de los sucesos de los «Últimos días», los cuales marcarán el pronto regreso de nuestro Señor Jesucristo. Aunque no es mi intención hacer ninguna predicción exacta ni tampoco intentar crear una línea de tiempo de lo que debe suceder antes del «fin del mundo», ya que ya hay muchas escrituras relacionadas con este tema, tampoco debemos pasarlas por alto. Dicho esto, veamos algunas de las señales acerca de los tiempos finales de las que Jesús y sus apóstoles hablaron, para que sepamos cuál deberá ser nuestra actitud frente a ellas.

Como mencioné en el estudio sobre «Pureza y Santidad», el presente capítulo se traslapa o superpone en cierta medida con el tema de moralidad sexual ya que, como sabemos, nuestro enemigo Satanás y sus fuerzas oscuras, aumentarán todos sus esfuerzos para engañar y atacar a los cristianos en esta área específica de la moralidad.

1. **Apocalipsis 12:11**

   ¿Cuál es el verbo que Dios usa aquí para describir la férrea actitud que los creyentes en Cristo necesitarán en estos últimos días?

   Respuesta: Ellos lo_____(Satanás).

2. **Apocalipsis 12:11**

   ¿Cuáles son esas tres cosas con las que los cristianos deberían vencer?

   Respuesta: la_____ del Cordero y por la_____del testimonio de ellos, y_____ _____ _____ _____, llegando hasta sufrir la muerte.

   La Biblia tiene mucho que decir acerca de ser «vencedores», sobre todo, en el libro de Apocalipsis. Recabaremos nuevamente sobre esto más adelante cuando cerremos este tema.

   Tanto Jesús como los apóstoles hablaron bastante sobre las «señales de los últimos días» y también cómo estas progresivamente degradarían la moralidad en la sociedad.

3. **Mateo 24:6**

   ¿Cuál es esa señal de la que escucharemos a menudo y que no deberemos tratar de responder?

   Respuesta: Ustedes van a oír de_____ y _____ _____ _____. ¡Cuidado! No se_____.

4. **Mateo 24:7**

   Más allá de que Jesús haya aclarado de que estas guerras serían entre reinos y naciones (grupos étnicos) ¿cuáles son esas otras dos señales que sobrevendrán?

   Respuesta: en diferentes lugares habrá _____y _____.

5. **Lucas 21:11**

   Además de los terremotos y las hambrunas, ¿qué otra señal adicional se menciona en este versículo?

Respuesta: habrá grandes terremotos, y _____.

La raíz de la palabra plaga es «enfermedad», y en la terminología actual sería «pandemia», refiriéndose a escala global.

6. Lucas 21:25

¿Cuál es esa otra señal geofísica que producirá consternación y perplejidad en la tierra?

Respuesta: causa del_____del mar y de las olas...

Esto ciertamente podría ser causado por huracanes o tsunamis. Y aunque se podría alegar que siempre hemos tenido este tipo de fenómenos a lo largo de la historia, al estudiar este tema a profundidad encontramos que en los años recientes ha habido un aumento en la frecuencia e intensidad de este tipo de fenómenos.

7. Mateo 24:8

Para Jesús, ¿estos sucesos son el comienzo de qué?

Respuesta: Pero todo esto es solo el comienzo de_____.

Las madres embarazadas entienden los dolores de parto mejor que nadie. Ellas saben que a medida que se acerca el nacimiento del bebé, los dolores comienzas a ser más frecuentes e intensos.

8. Mateo 24:5,11,24

En tres ocasiones distintas en Mateo 24, Jesús advierte que los falsos Cristos (mesías) o los falsos profetas vendrán ¿y tratarán de lograr qué cosa?

Respuesta: ...para así_____, de ser posible, aun a los escogidos.

La Versión Reina Valera 1960 dice que intentarán engañarnos. Si Jesús enfatizó esto tres veces en un solo capítulo, creo que es para que le prestemos atención.
Ahora analicemos algunos de las poderosas características que tendrá el líder de los falsos profetas y anticristos que aparecerán con creciente notoriedad en la Tierra antes del regreso de nuestro Señor Jesucristo.

9. Apocalipsis 12:9

¿A qué animal se le llama Satanás en este versículo, similar al que se menciona en el Jardín del Edén?

Respuesta: la_____antigua que se llama Diablo y Satanás, el cual engaña al mundo entero. Fue arrojado a la tierra...

10. Apocalipsis 13:4-7

¿Cuál es el título de aquel a quien Satanás, el dragón, le da autoridad para gobernar la Tierra durante 42 meses?

Respuesta: Adoraron al dragón, porque había dado autoridad a la_____.

11. Apocalipsis 13:16-17

Durante este tiempo, ¿cualquier persona podrá comprar o vender sin la marca de la bestia en su mano derecha o frente?

Respuesta:_____.

Ahora veamos lo que deberíamos esperar que ocurra con las condiciones morales durante «los últimos días».

12. 2 Timoteo 3:1-5

Todos estos versículos muestran un cuadro de una humanidad desprovista del Espíritu de Dios. De acuerdo a las características de los impíos que se resumen en el capítulo 4, ¿en qué estará enfocado el amor de las personas?

Respuesta: amadores de los_____ en vez de amadores de Dios...

13. Mateo 24:37

¿Con cuál otro momento de la historia comparó Jesús Su pronto regreso?

Respuesta: Como en los días de_____.

14. Mateo 24:38-39

Jesús dijo que estaban bebiendo, casándose y dándose en casamiento cuando fueron sorprendidos por una inundación repentina. ¿Qué condición similar habrá con ellos cuando Jesús regrese de nuevo?

Respuesta: y no_____ hasta que vino el diluvio y se los llevó a todos...

A pesar de esto, existe gran esperanza para nosotros como creyentes en Cristo Jesús durante el tiempo de Su regreso, ya que algunos sucesos específicos serán vistos por todos mientras esto ocurre.

15. Mateo 24:26

Si alguien viene a decirles que el Mesías está en el desierto o alguna habitación interior (edificio), ¿qué debemos hacer?

Respuesta:_____les crean.

16. Hechos 1:9-11

¿Qué les dijo el ángel a los discípulos acerca de cómo regresaría Jesús?

Respuesta: vendrá de la_____ _____, tal como lo han visto ir al cielo, y le recibió una_____que le ocultó de sus ojos.

17. Mateo 24:29-30

Inmediatamente después de que ocurra la más grande tribulación que la tierra jamás haya visto, Jesús dice que habrá señales asombrosas en el sol, la luna y el cielo. Luego de esto, ¿de qué manera será la entrada triunfal de Jesús?

Respuesta: y verán al Hijo del Hombre viniendo sobre las_____ del cielo, con _____ _____y gran_____.

18. Mateo 24:31

¿Qué usarán los ángeles para anunciar la llegada de Jesús, y cuál será el lugar donde los elegidos se reunirán con Él?

Respuesta: Y enviará sus ángeles con gran voz de_____, y juntarán a sus escogidos, de los cuatro vientos, desde un extremo del_____hasta el otro.

19. 1 Tesalonicenses 4:14-17

Como vemos, el regreso de Jesús también es anunciado por el arcángel y la trompeta de Dios. Luego de que el arcángel anunció que primero resucitarán los muertos, ¿quién dijo que se encontrarían después con Jesús en las nubes para para estar siempre con Él?

Respuesta: y los_____ _____ _____ resucitarán primero. Luego nosotros los que_____, los que hayamos _____.

20. Mateo 24:36

Si bien veremos un claro aumento en las señales a medida que se acerque el regreso de Jesús, ¿puede alguien saber el día o la hora exacta de Su regreso?

Respuesta:____.

Volvamos ahora a la idea inicial de que debemos asumir los atributos de Dios como «vencedores» para así poder afrontar estos «últimos días». Aunque los mensajes que encontramos en el libro de Apocalipsis, capítulo 2 y 3 originalmente tenía como destinatarios las siete iglesias que existían al momento en que Apocalipsis fue escrito, hay gran consenso entre muchos cristianos de que las instrucciones dadas allí, son una previsualización del ejemplo que los cristianos debemos seguir, sobre todo, cuando vemos que el «Día del Señor se acerca». No en vano al final de las exhortaciones dadas a las siete iglesias dice enfáticamente «al que venciere». Tomemos la primera de las iglesias mencionadas, es decir, la de Éfeso, y veamos cuál fue su recompensa y cual será la nuestra si salimos vencedores como ellos.

21. Apocalipsis 2:7

¿Cuál fue la gracia otorgada aquí como recompensa a quienes salieron vencedores?

Respuesta: le daré a comer del_____ ____ ___ _____, el cual está en medio del_____ de Dios.

¡Wow!, el «Árbol de la vida» fue de lo que participaron Adán y Eva antes de que pecaran. Sin embargo, al vencer las tentaciones que experimentamos en los tiempos actuales y al haber recibido a Jesucristo como nuestro Señor y Salvador nosotros también somos bendecidos con el regalo de la vida eterna. Y como ya estudiamos en el estudio sobre la «Salvación», todo lo que tenemos que hacer es seguir teniendo fe en la provisión de la gracia que nos fue dada por Jesús en la cruz del Calvario para el perdón de nuestros pecados. Las exhortaciones de Juan en el Apocalipsis también muestran que debemos demostrar la obediencia que corresponde a nuestra fe, ya que habrá más y más presiones para que desistamos de seguir a Jesús.

Lo invito a que lea y medite acerca de las Siete Iglesias en Apocalipsis 2 y 3 y permita que el Espíritu Santo lo ilumine en su diario caminar con el Señor. Termino este estudio con algunos consejos bíblicos sobre cómo ser vencedores hoy y siempre.

22. Lucas 21:26

¿Qué hará que el corazón de las personas desfallezca o falle cuando vean las grandes señales que llegarán al mundo antes y durante los tiempos de la «Tribulación»?

Respuesta: desfalleciendo los hombres por el_____.

23. Juan 16:33

¿Qué nos dará Jesús durante los tiempos de la tribulación y qué dijo Él que ya había hecho por nosotros para que pudiéramos cobrar valor?

Respuesta: para que en mí tengáis_____...; pero confiad, yo he_____al mundo.

Ciertamente, Él es nuestro vencedor. Nuestra última pregunta tiene que ver con cuánto realmente nos necesitaremos los unos a los otros durante estos tiempos.

24. Hebreos 10:24-25

Al ver que el «Día de Su regreso» se acerca, ¿cuáles son esas dos cosas que se nos exhorta a hacer?

Respuesta: para_____al amor y a las buenas obras; no dejando de_____, como algunos tienen por costumbre...

Con esto podemos ver claramente que necesitaremos muchísimo del aliento de los demás. Esto nos da una buena idea de cuán importante es que practiquemos el principio del compañerismo, no solo en pequeña escala, reuniéndonos en grupos pequeños, sino en una escala mayor cuando nos congregamos para adorar congregacionalmente y estudiar juntos la Palabra de Dios.

Sin bien estamos viviendo tiempos difíciles, debemos saber que hay cientos de escrituras sobre el tema de los «Últimos días». Por lo tanto, te invito a que no tengas miedo, sino a que le pidas a Dios una mayor relevación sobre este tema para que los sucesos que están ocurriendo a diario no lo tomen por sorpresa. Una buena manera de hacer esto, es leyendo y meditando el libro de Apocalipsis sin importar si comprendemos todo lo que allí se encuentra escrito. Ten presente que este es el único libro de toda la Biblia que dice que, quien lo lea, recibirá una gran bendición (Apocalipsis 1:3).

Con este estudio, damos por concluido el material del presente manual. Mi consejo final es que utilices esta serie de estudios con otras personas, a fin de que ellas también sean equipadas respecto a los fundamentos de nuestra fe cristiana.

Dios lo bendiga grandemente, mientras van y hacen discípulos a todas las naciones.

Las referencias de concordancia para tus reflexiones son las siguientes: Libro de Apocalipsis; Mateo 24:1-51; Mateo 25: 1-13; Lucas 21:5-36; Lucas 17:28-30; 1 Corintios 15:51-57; 2 Timoteo 4:1-4 y 2 Tesalonicenses 2:1-12.

REFLEXIONES:

_____

_____

_____

_____

_____

_____

_____

_____

_____

_____

_____

_____

_____

_____

_____

_____

Respuestas:

1. Vencieron
2. Sangre, palabra, no amar sus vidas
3. Guerras, rumore de guerra, alarmen
4. Hambre (hambrunas), terremotos
5. Plagas
6. Rugido
7. Dolores
8. Engañar
9. Serpiente
10. Bestia
11. No
12. Placeres

13. Noé
14. Comprendieron
15. No
16. Misma manera, nube
17. Nubes, poder, gloria
18. Trompeta, cielo
19. Muertos en Cristo, vivimos, quedado
20. No
21. Árbol de la vida, paraíso
22. Temor
23. Paz, vencido
24. Estimularnos, congregarnos

Made in the USA
Columbia, SC
02 November 2024

45358623R00074